戦国の女たち

司馬遼太郎・傑作短篇選

司馬遼太郎

PHP
文芸文庫

○本表紙デザイン＋ロゴ＝川上成夫

目次

女は遊べ物語

七蔵は、グミのタネを舌の上にころがし、ぺっと吐きすてると、

「小梅、小梅」

と女房の名をよんだ。その拍子に、果汁の酸味が、口中にひろがった。つばがあふれ出て、あごにしたたった。

顔をしかめ、手の甲であごをぬぐい、西の空を見た。

屋敷の塀のむこうに、岐阜金華山城《ぎふきんかざん》の白いやぐらがみえる。

「小梅、おらぬかよ」

返事はない。

七蔵は所在なく、城を見た。が、すぐ顔をしかめて眼をそらした。

（きょうは、お城を見るのもいやじゃ）

伊藤七蔵政国は、織田上総介《かずさのすけ》信長の馬まわり三百石の身上《しんしょう》である。

戦場からひさしぶりで帰ってきたのは、まだきのうのことであった。こんどの戦場はながかった。元亀《げんき》二（一五七一）年五月、にわかに、陣触《じんぶ》れ（動員）をうけて岐阜城を発《た》ち、五月には伊勢の長島でたたかい、九月叡山《えいざん》で戦った。戦場から戦場への毎日をかさね、気がついたときは、家をはなれて半年になっていた。

（やっと、これでひとやすみじゃ）

本丸下の広場で部隊の編成をとかれたのは、きのうの午《うま》の刻さがりである。

七蔵は、血さびのついた槍をかつぎ、馬のあしをはやめて西ノ丸の城外にある屋敷の門をたたいた。そのとき、小梅が出てくれば、玄関で押したおしてでも、七蔵はつもる情をとげたであろう。

しかし案に相違した。屋敷うちには小者《こもの》の吉次のほかたれもいなかった。

「奥方様は、きのうからご実家におもどりあそばして」

「なに？」

「お留守でございます」

「それはけしからぬ。あるじがながい戦場ぐらしからもどってきたと申すのに、またあのおなごはなにを遊びほうけておるのか。どういう料簡《りようけん》なのであろう。吉次、この馬に乗れ、鞍《くら》にしばりつけてでも、つれもどして来ねば、おのれの首をはねるぞ」

ところが、小梅がもどってきたのは、きょうの陽《ひ》もだいぶ高くなったつい先刻のことだった。

七蔵の居間に入ってきた小梅が型どおりのあいさつをし、ぶじを祝おうとした。

しかし七蔵は気ぜわしくさえぎった。

「なにをしておった」

「法事に」

けろりとして言った。童女のような表情である。小梅は、妻になって十年にもなるのに、まだオトナになりきれないところがある。もっとも、そういう所が、七蔵の気に入っている点でもあった。

「法事はわかった。しかし、そちの実家は、ここから二里とは離れておらぬぞ。なぜ、ゆうべのうちにもどらなんだか」

「でも、ひさしぶりにあつまりました姉妹やいとこたちが、貝おおいをしようと申して放しませせぬ」

「ほう、貝おおいをしたのか」

七蔵は、急に顔をやわらげて、眼をほそめた。小梅が、子供っぽい動作で貝おおいに夢中になっている姿を想像したのだ。小梅を食いころしてやりたいほどの可愛さをおぼえた。

「勝負はどうであったか」

「はい。小梅が勝ちました。それはそうと、このたび、旦那様は、たんとお手柄をおたてあそばしたそうでございますね」

「雑兵首《ぞうひょうくび》が一つ、兜首《かぶとくび》が一つであった」

「まあ、それならば、ご加増がございましょう」

「あろうな」

「小梅には、無心がございます」

（またか）

七蔵は、うんざりした。いつも、この調子だった。小梅は、七蔵が戦場からかえってくるたびに、加増をあてこんだ買い物を、ねだるのである。

「よいかげんにせぬか。おれが命をマトにして働いたのに、そのねぎらいもそこそこにして、買い物をねだるとはなんと可愛げのないことを申す。だいいち、おれがとった首どもこそあわれではないか。そちの小袖《こそで》や髪かざりになるために、あの者たちは首をわたしたのではあるまい」

「左様でございますか」

小梅は、ぷいと横をむいた。七蔵は、またか、とおもうのだ。いつものでんであった。つぎのことばは、きまっていた。

（小梅はこのところ疲れておりまするゆえ、夜のお伽《とぎ》は辞退させていただきまする）

七蔵は、いつものとおり、ついつい折れざるをえない。

「わかった。勝手にせい」

いまも、そう言って折れた。が、折れたものの、腹の底にいったん湧《わ》いたキナくさい怒りだけはどうしようもない。

七蔵は庭へとび出し、グミの枝をとった。それを縁側へおき、夢中で食いついているのは、そうする以外にこのやるせない気持を消す方法がなかったのだ。

「小梅、おらぬのか」

また呼んだ。さきほどから七蔵は何度もよびつづけている。やっと小梅の遠い足音がきこえた。次第に近づき、顔を出した。作法だけは折り目ただしく、

「およびでございますか」

「グミが酸《す》い。茶をもて、茶を」

「あの、お床《とこ》の支度ができましたが、いかがいたしましょう」

ああ、と七蔵は、うれしそうに立ちあがった。

「できたか」

七蔵のかなしいところである。茶のことをわすれた。

「お茶はどうなされます」

小梅は、皮肉そうに眼もとで笑った。

「それは、あとにまわそう。まず床じゃ」

「まだ、陽が高うございますのに」

「よい。戦場からもどった武士に、夜も昼もないものぞ」

小梅が思わず眼をそらしたほど、七蔵は間のぬけた顔になっていた。

一刻ばかり小梅を愛しつくしたのち、ようやく起きあがった。あぐらをかき、手《て》拭《ぬぐ》いで汗をぬぐい、ゆっくりと小梅をみおろした。

七蔵の眼の下で、小梅は、息がたえたように臥《ふ》している。

（よいおなごじゃな）

わが女房ながら、つくづくと思うのだ。なるほど、色は浅黒い。やせすぎてはいる。しかしこの女房のよさは、床のなかでしかわからない。

（やすいものじゃ。無心ぐらいは、なんなりともきいてやろう。また戦場でかせげばそれですむことじゃ）

七蔵は、そのまま、もとの縁がわにもどった。そこにグミの残りがあった。ふたたび、夢中でそれを食いはじめた。

岐阜へもどってから、ひと月たった。

毎日、グミを食い、小梅と寝た。小梅のほおに、ようやく疲れがみえはじめてきた。

ある日、七蔵は城からもどってきて、

「よろこべ、二百石のご加増じゃ」

（そう）

といった顔で小梅はうなずき、

「おわすれではございますまいね」

「忘れてはおらぬ。いったい、なにが所望じゃ」

「もう、購《もと》めました」

小梅は、いったん奥へさがり、やがて目もまばゆい白絹の小袖をきてあらわれた。

「ほほう、すさまじいものであるな」

七蔵は諸国をあるいてきたが、このように豪華な小袖はみたことがなかった。すそに、銀糸をもって浪がえがかれ、しぶきをあげて金糸の旭日がかがやいている。

「いかがでございます。小梅に、よう似合いませぬか」

「似合いはするが……」

と七蔵はしばらく絶句した。

凱旋《がいせん》部隊のふところをあてこんで、この岐阜城下には京や堺《さかい》から、さまざまの商人が入りこんでいる。小梅は、その者どもに売りつけられたものであろう。七蔵

は、われながら情ないほどに声をふるわせ、

「いかほどのあたいであったな」

「金三枚でございます」

あっ、と思ったが、さすがに声には出さなかった。しかし金三枚もあれば、そこの具足《ぐそく》が買えるではないか。

「小梅」

顔色が、青ざめていた。

「申しきかせるゆえ、怒るなよ。そちは在郷の庄屋の家にうまれたゆえ武家の内緒がまだわからぬ。二百石の加増は、そのまま懐にねじこめるものではない。加増にともうて、おびただしい出費がいる」

「………」

小梅は不機嫌そうに横をむいた。

「たとえば、家来もあらたに幾人か召しかかえねばならぬ。それもはだかでは使えぬ。槍、刀、具足をととのえてやらねばならぬ。おれの乗りかえの馬も、あと一頭はほしい。それに、具足もいままでのものではみすぼらしすぎる。五百石の分限《ぶげん》の手前、せめてカブトだけでも、南蛮鉄にしかるべき飾りを打ったものにせねばなるまい。こう数えてくれば出費はかぎりない。あとあとのためにいうておくが、武士

の加増は、ぜいたくをせよとのことで行われるのではない。身上相応の物主《ものぬし》（小部隊の長）らしく、兵馬をととのえよという意味じゃ。わかったか」

「わかりませぬ」

「こまったのう」

「この小袖が、旦那様のお気にそれほどめしませぬなら、吉次をつかわして只今でも返しに参らせましょう。そのかわり」

「言うな」

七蔵は、にがい顔をした。小梅のいうことはわかっている。過労ゆえふしどのつとめができかねまする、というのだ。

「旦那様」

「申すな。わかった。買え」

（家来も馬も、あきらめよう）

とおもった。そのかわり、つぎの合戦で首を余分に獲《と》ればすむことではないか。

数日たって、朋輩《ほうばい》の石黒助右衛門があそびにきて、不審顔でたずねた。

「七。おぬしは、ご加増の祝いをせぬのか」

「物入りがかさんでおるゆえ、せぬ。不義理じゃが、加増はこんどで最後というわけではあるまい。このつぎの合戦まで、義理を借りておくことにする。みなにも、よしなに伝えてくれぬか」

「承知した」

助右衛門はうなずいて、どうやら、またちかぢかに陣触れがあるらしい、といった。

「おお」

七蔵は、うれしそうに膝《ひざ》をたたいて、

「ひと月も合戦に出ねば、血が鬱《うつ》してならぬわい」

「合戦をよろこんでいるのは、おぬしぐらいのものよ」

助右衛門は、人のいい七蔵を軽侮したように笑った。

「われわれ直参《じきさん》はよいが、陪臣《またもの》がかわいそうじゃ。織田家は人使いが荒いという て、他家へすみかえる小者が多い。ここ数年、戦さから戦さへの連続ではないか。殿への苦情を申すわけではないが、ちと多すぎるな」

「がまんせい、助右《すけう》。殿は、天下をおとりなさるおつもりじゃ。もしわが殿が天下とりになれば、われらはうまくゆけば大名ぞ」

大名、大名、と何度も言いかさねているうちに、七蔵のひげづらが、しだいに笑い崩れてきた。

「ところで、七。大名の件はそれぐらいにして、きょうは、すすめたい儀があってまいった。きいてくれるな」

「おぬしのことじゃ、なんでもきこう」

「めかけをもてい」

「え？」

七蔵は、口をあけた。

「おれが？」

「あたりまえじゃ。おぬしが女房には、子ができぬ。あれでは、もはや一生できまい。武士の家に相続する者がないのは、殿への不忠のひとつぞ。行くさき大名になったところで、子がなければ、世をゆずる楽しみもあるまい」

「道理じゃ。よいことを申すではないか」

七蔵は眼をかがやかした。

「しかし、これには相手が要《い》る。助右、おぬしに心あたりはあるか」

「無《の》うてか」

助右は、ひざをすすめた。

「年はすこし行きすぎて二十二じゃが、おぬしの女房殿とちごうて、色がぞんぶんに白い。肉づきもよい。顔も、お宮の巫女《みこ》にもまれな目鼻だちをしておる」

「それは見たい」

「見せてやるゆえ、あすのひるさがりまでに、越前街道の稲葉ノ宿の播磨屋《はりまや》五兵衛という茶屋へ来い」

「稲葉といえば、小梅の実家にちかいな」

「まずいか」

「かまうことはない。側女《そばめ》をおくのは男の甲斐性《かいしょう》じゃわい」

といってはみたが、小梅がどうでるかとおもうと、つい心が重くなった。

その夜、小梅を寝床によび、よほどこのことを打ちあけようとおもったが、

（まあ、よい。いずれ、屋敷につれてきてからのことにしてもおそうはあるまい）

小梅は、七蔵のうかぬ顔をみて、

「なにか、お心にかかることでもおありでございますか」

「いや、傷がいたむ。さきごろ受けた傷が、まだ癒《い》えきらぬ」

うそではなく、右の草ズリの下に負うた槍傷が、また化膿《かのう》しはじめていた。

「強いお酒で洗うて進ぜましょう」

「洗うてくれるか。めずらかなことじゃな」

「だいじな旦那様でございますもの」

耳だらいに焼酎《しょうちゅう》をみたして、もってきた。平素は、いっこうに情のうすい女が、みちがえるほどかいがいしく介抱してくれるのである。

小梅は、ハマグリのフタを割って、黒い練薬をとりだし、

「御岳の修験者《しゆげんじや》から買いもとめました金創薬《きんそうやく》でございます。いこう、よく効きまするそうじゃ」

傷口にぬりはじめた。

「すこし滲《し》みるの。かように痛い薬なら、そちのいうとおり効くかもしれぬ」

七蔵は、がまんしたが、痛みはしだいにひどくなってきた。ついに堪えきれなくなり、

「これは、肉も骨もくだけそうじゃ」

「がまんなされませ。あなた様は、織田家の数ある物主のなかでも、先駆けの七蔵という異名《いみよう》できこえた武士ではありませぬか」

「いかにもその七蔵であるが、この薬には勝てぬ。せっかくじゃが、洗いながしてくれ」

「それは、なりませぬ。この薬は重薬と石楠花《しやくなげ》を煮つめてあぶらで練り、南蛮渡来の胡椒《こしよう》とかもうす香薬を加えたもので、膿《う》み傷にはいちばんと申しまする」

「胡椒」

七蔵は無知でも、その香薬の名は知っている。名をきくだけで痛みが加わり、気をうしないそうになった。

「洗うてくれ。たのむ」

「なりませぬ。旦那さまは、石黒様のおとりもちで、側女をもとうとなされておりましょう」

「た、たれからきいた」

「おてんから」

「なに、おてんとは、どこのおなごか」

「存じませぬか。あなた様の側女になるおなごでございますのに。おてんが、きょう屋敷にまいって、左様申しました」

（し、しもうたわい）

　これは小梅の耳に入るはずだった。おてんは、稲葉の近在の百姓のむすめで、その付近は助右衛門の知行地《ちぎょうち》になっている。しかもその近郷一帯の大庄屋が、小梅の実家なのである。おてんが、下百姓のむすめとして小梅への遠慮から、あらかじめあいさつにあがったのは、むりからぬすじみちだった。

「そ、それで、そちはてんにどう申した」

「早う来よ、と申しておきました。子をなさぬのは、小梅の罪でございますもの」

「そち」

　七蔵は、痛みにあえぎながら、

「おてんを、もとから知っていたのじゃな」

「知るも知らぬも、このあいだの法事の夜に貝おおいをした仲間のひとりでございます。ずいぶんとにぎやかな子でございますよ」

「小梅、このことは、そちがたくらんだな」

ホホ、と小梅はわらいころげて、

「いまごろ、お気づきあそばしましたか。小梅が石黒様にたのんで、おてんをそのようにはからったのでございます」

「なぜじゃ。なぜ、はかろうた。そちは悋気《りんき》を病まぬのか」

「まあ、りんきなど、わたくしが。——なにもかも、伊藤のお家のためでございます」

「う、うそじゃ。そちは、おれの留守がさびしさに、おてんと一緒にあそび呆《ほう》けたいのであろう」

「まあ」

笑っているが、どうやら図星らしい。

「念を入れて申しておくが、おてんが奉公にあがれば、おれはおてんとも寝るぞ。よいのか」

「よろしゅうございますとも」

小梅がうなずいた。そのほうが楽だというのかもしれない。小梅の態度は、七蔵がむしろ拍子ぬけするほどであった。

（こいつ、まだ子供なのか）

十年つれそっても、見当のつかないのは女房というものである。

が、七蔵は、小梅のことなどは、もう考えていない。かれのとぼしい想像力をせい一ぱいにはちきらせて、あすは会えるというおてんのことばかりを考えていた。

「お痛みは、うすらぎましたか」

「しずかに」

七蔵は、急に顔をあげた。

（きこえる）

遠く金華山のあたりから、降るように太鼓の音がきこえてくる。七蔵は、眼をひからせながら音をかぞえた。もはや、まぎれもない。がば、とはねおきた。

「小梅、陣触れじゃ」

叫んだときは、すでに具足ビツのふたをはねあげていた。

その後、諸方に転戦のあげく、七蔵政国がびわ湖をみおろす江州《ごうしゅう》横山城に入ったのは、天正元（一五七三）年八月のことである。

（あれが、音にきく浅井の小谷《おだに》城か）

湖北の空に凝然《ぎょうぜん》としてそそりたつ近江の強豪の居城をみて、七蔵は武者ぶるいした。

小谷城をかこむ織田軍の司令官は、木下藤吉郎秀吉であった。

藤吉郎秀吉は、すでに早くから小谷城攻撃のために、むかいあう横山に城をきずき、持久戦のかたちをとっていた。

ところが、この八月の二十日をすぎて戦況は一変した。小谷城の浅井氏の同盟軍である越前朝倉氏が越前で信長にほろぼされ、小谷は孤城となった。織田方は、総力をあげて小谷城を攻めることになり、七蔵はその作戦にともない、信長の命《めい》で藤吉郎に付けられ、他の増強部隊とともに横山城に入ったのである。

ある日、城内を巡視していた藤吉郎は、乾櫓《いぬいやぐら》の下で居ねむりしている伊藤七蔵をみて、

「あれは、たれか」

とおどろいた。近習《きんじゅう》の者が、

「例の編笠七蔵どのでござりまするよ」

「なるほど」

うわさには、秀吉もきいていた。

この男は、さきの越前一乗谷《いちじょうだに》の合戦で、乱戦中に城から射ちだす鉄砲にカブトをはねとばされ、その後はやぶれ編笠をかぶって鬼神《きじん》のはたらきをした、そうきいている。

そのとき信長は七蔵の働きをほめ、こう言ったという。

「七蔵、これからは、編笠という異名でよぶぞ」

主人から異名をもらうのは、非常な名誉とされていた。ひとによっては、それを姓にしたり、指しものにした。

が、七蔵は浮かぬ様子で、

「異名を頂戴《ちょうだい》するだけでござりまするか」

「不足か」

「めっそうもない。しかし、そのうえにご加増たまわれば、仕合わせでござる」

「強欲《ごうよく》なおとこよ」

信長は苦笑した。かれは癇癖《かんぺき》のつよい男とされているが、侍あつかいがうまく、部下の慾をたくみにあやつった。このときもすぐ祐筆《ゆうひつ》をよび、百石の加増を即刻にきめた。

「あとあと、手柄の次第では、さらにふやしてやるぞ」

欲をあおることをわすれない。

「いかにも、ありがたし」

こおどりしてさがったが、越前の陣中では、このとき以来、伊藤七蔵の評判はひどくわるくなった。

「主人に禄を強請《ゆす》った」

というのである。

その翌日、朝倉家の侍大将平野修理東一《ひらのしゆりひでかず》という者を討ちとったときも、信長は七蔵にかぎって即刻行賞し、さらに二百石を加増した。

これがまた、悪評のタネになった。

「あの男は禄をゆするばかりではない。物乞いをしているのじゃ」

みな、名誉の「編笠」でよばず、

「物乞い七蔵」

とよんだ。

（その男が、あれか）

藤吉郎は、ひどく興味をもってしまったようだった。

「呼べ、これへ」

と近習に命じたが、すぐ「わしから出むこう」と言いなおした。七蔵は秀吉の家来ではなく、主人信長からさしまわされた与力衆だから、呼びつけにするのを遠慮したのである。

近づいて、

「起きよ、編笠」

と肩をたたいた。

眼をひらいた七蔵をみて、秀吉は、おもわず吹きだしそうになった。

（なにかに似ている）

小さな眼、まるい顔、とがった唇、まばらなヒゲ。すこし間のぬけた、あどけない顔。どこか、ムジナに似ている。

「わしは藤吉じゃ。おぬしの名はきいていた」

秀吉は、しゃがみこんで顔をのぞきこみ、

「殿（信長）にはわしからねだるゆえ、わしの家来になる気はないか」

「陪臣《またもの》になれと申されるのでござるな」

「そのかわり、禄は、はずむぞ」

秀吉は、信長の部将のなかでも短期間に出世した男だから、手飼いの家来というのが少い。自然、これはという男をみつけては、召しかかえようとしている時期だった。

七蔵はだまっていた。

思案のしどころだとおもった。

「まあ、ゆるりと考えおくがよい」

秀吉は即答をもとめず背をむけ、本丸のほうへ気ぜわしく立ち去りながら、近習の平田与作に耳うちして、七蔵のうわさを集めるよう命じた。その夜、与作は、

「きけばきくほど、評判のわるい男でござりまする」

といった。まず女房の小梅というのがよくない。非常な浪費家で、七蔵はその費《つい》えをかせぐために、必死の戦場ばたらきをせざるをえないのだという。

「その女房殿と申すのは、どのようなぜいたくをするのか」

「七蔵の留守に、親戚縁者の女どもをあつめては馳走《ちそう》して遊びさわぐのが好きじゃそうでござりまする」

「わしが女房の寧々《ねね》もにぎやか好きじゃ。それだけのことなら大したことはあるまい」

「そのうえ、途方もないおごり口でありまするそうな。伊勢の鯛《たい》、近江の鮒《ふな》、丹波の山芋などをはるばると取りよせたり、夏は、飛驒《ひだ》の氷室《ひむろ》から高価な氷を購《あがな》うそうでござりまする」

「ほほう」

秀吉は、七蔵よりも、女房のほうに興味をもってきたらしい。

「それに、ちかごろ、その女房殿は、側女をめしかかえたそうでありまする」

「おなごが、側女を召しかかえるのか」

むろん七蔵の夜伽をするための女だが、かんじんの七蔵がにわかに出陣したために、まだ女を見ていない上に、もともとその女は小梅の遊び友達らしい。どうやら小梅は自分の退屈しのぎのために召しかかえたようなものだ、と与作はいった。

「おもしろい女房殿じゃな。いちど会いたいものじゃ。実家は、どこか」

「稲葉の多治見《たじみ》家じゃそうでござりまする」

「おう、その家のことはきいている。百姓とはいえ、先祖の清和《せいわ》源氏の傍流多治見四郎国長このかた二百年を数える旧家というぞ。小梅の血のなかには、旧家の子孫にありがちな遊びごころがあるとみえる」

「しかし、悪妻ではありまするな」

「悪妻なものかよ。その女房殿が浪費をすればこそ、七蔵は働くという仕組みではないか。いわば、殿（信長）にとっては大そうな忠義者であるわい」

月が出た。山上からみると、眼下の湖が闇《やみ》のなかでにぶく光りはじめた。

そのころ、七蔵は、先手《さきて》組のたむろする西ノ丸の陣屋で、息をひそめていた。

小梅から、手紙がきたのだ。意外なことが書かれていた。

いた。

そんなあそびが、かつて京や堺で流行した。それがいまごろになって岐阜につたわり、城下の色街などで女どもがそれに興じているというはなしは、七蔵もきいていた。

（巫女博奕《みこばくち》。……）

要するに、カルタあそびの一種である。モトは南蛮人がもちこんできたものだが、厚紙でフダをつくり、さまざまな絵がかかれている。それをならべ、べつに社寺におかれているミクジ箱を用意し、箱をふって竹フダを出し、竹フダの記号とカルタとを符合させるあそびだ。勝負には、小銭をかける。

女ばくちだから、ふつう、大金はかけない。が、おそらく小梅は天性賭博《とばく》ずきなのだろう。夢中になりすぎた。手紙によると、銀五十枚も負けたというのである。

「――によって」

と手紙で、小梅は七蔵をはげましている。

「このたびの小谷攻めには、神かけて大手柄を願わしゅう、さもなければ、ちょうさん（逃散）いたさねばなりませぬ」

（これは、おどしじゃ）

七蔵は、岐阜の長良川の鵜匠《うじょう》を思いうかべた。小梅は鵜匠であり、おのれは鵜である。鵜匠が、舟べりをたたいて、鵜をはげましているのであった。

翌々日、秀吉は諸隊を部署して、総攻撃にかかった。

秀吉は、小谷城の大手門ちかくまで馬じるしをすすめて、

「押せ、押せ。ただ一文字にかかれ」

城取りの名人といわれたこの男が、これほどはげしい下知をくだしたことがない。

かれの戦法は、つねに無理おしを避け、持久法をとってきた。この小谷攻めを信長に命ぜられたときも、ただちには攻めず、小谷城に対する横山城を急造して、一年も対峙《たいじ》したほどなのである。

しかし、いまは事情がちがっていた。すでに浅井氏の同盟軍である越前の朝倉氏を信長自身が潰滅《かいめつ》させたいまとなっては、秀吉の名誉にかけて信長の来着までに小谷城をつぶさねばならない。

ところが、籠城《ろうじょう》の敵は、北近江に三代の武門を張った浅井家の強兵であり、かれらはすでに死を覚悟していた。

いわば、死兵が相手である。

攻城は、容易でなかった。

何度押し出しても、寄せ手は、城門の下で矢鉄砲、落石をあびせられ、おびただしい死傷をのこしてはひきさがった。

ついに、秀吉が声をからして下知しても、織田兵は城門から一丁半ひきさがった所で馬をひしめかせたまま進まなくなってしまっている。秀吉は、夢中で咆《ほ》えた。

「競え。一番乗りはいまが好機ぞ」

そのときだ。

軍勢のなかから、スイと一騎だけ、馬をあおって駈けだした者がある。

「あれよ。行くわ。あれは物乞い七蔵ではないか」

あいかわらず編笠をかぶり、桶側胴《おけがわどう》の具足は、剝《は》げおちて色もさだかでなく、左袖はちぎれて肩があらわになっており、それが痩《や》せ馬に乗って走る姿は、乞食芝居の武者に似ていた。

従者がひとり陣笠をまぶかにかぶり、顔を伏せて七蔵の馬を追っていた。たれしもがおもった。

(あいつ、慾に呆けたな)

いま城にむかって駈けるなどは、よほどの命知らずでもできるわざではない。

が、秀吉は、そうは思わなかった。

(人間に勇怯《ゆうきょう》のちがいはない。慾に駈りたてられた男だけが勇者になる。七蔵は、まぎれもなく勇士じゃ)

七蔵は、城壁の下にとりついた。

石や矢が無数にかれの頭上を見舞ったが、ふしぎと体にあたらなかった。

「あれをみよ」

と秀吉は、怒号した。

「勇士には、神仏の加護があると見ゆるぞ。七蔵は毛ほどの傷も負わず石垣をのぼりおるわ。七蔵を討たすな。二番を駈けよ」

「うけたまわって候」

数騎が勢いよく突出した。

それにはげまされて、寄せ手の総軍が、わっとどよめきながら押し出した。

八月の太陽は、城の真上にかがやいていた。石垣をはいのぼる七蔵のてのひらが、ただれそうになるほど熱かった。

「源次、はなすな」

七蔵は見おろして、若党にどなった。若党の源次は、七蔵の具足の上帯をつかんで這《は》いのぼっている。

「旦那さま、重うござろうな」

「要らざる口をきくな」

源次をぶらさげながら這いのぼってゆく。

その度はずれた大力と豪胆さに、敵も味方も声をのんで見まもった。そのうち、

右側の狭間《さま》からのぞいた鉄砲が二十間の距離で、轟然《ごうぜん》と火を噴いた。とたんに源次は、

「ぎゃっ」

とさけんだ。

「どうした」

「だ、だいじはござりませぬ。右のスネアテにあたってはねかえっただけでござります」

が、そのために源次は足場をうしなって完全に宙ぶらりんになった。

「旦那さまにお気の毒じゃ。げ、源次は、これにておいとまをつかまつりまする」

「どうするのだ」

「落ちまする」

「ばかめ。そのまま、ぶらさがっておれ」

七蔵が大声をだしたとたん、そのハズミで上帯がプッツリ切れた。帯が古すぎたのだ。

「わっ」

と源次の体も、上帯に差していた刀も脇差《わきざし》も、ひとかたまりになって、はるかな城壁の下に落ちて行った。

（しまった）

七蔵は、素手になってしまった。せっかく、九分九厘まで成功した一番乗りの功名を、ここで捨てる気にはならず、

「銀五十枚」

七蔵は、夢中でさけんだ。小梅が作った借財を、この功名で返済しなければ、凱旋したところで夜逃げせざるをえない事情が、七蔵を鬼神にした。

「ぎんごじゅうまい、ぎんごじゅうまい」

まるで念仏のように銀に祈りながら、七蔵は石垣をのぼりつづけ、ついに城内におどりこんだ。

「敵も味方も、眼で見、耳でたしかめよ。一番乗りは、伊藤七蔵政国であるぞ。後日の詮議《せんぎ》にあとさきを争うな」

たちまちむらがってきた敵兵を、ひとりは素手でなぐり倒し、ひとりは、そばにあった柵の杭《くい》でたたきふせ、

「名ある者は、わが前に出よ」

わめきながら杭をにぎって走りまわった。どっと雑兵が崩れたった。

七蔵に続いて城壁をよじのぼった寄せ手がつぎつぎと乗りこみ、ついに城門が内側からひらかれ、放火する者があって、城内の各所が火をふきはじめた。

その火炎の中を、七蔵は修羅《しゅら》のように駈けまわった。

(名ある相手はおらぬか)

雑兵には目もくれなかった。ついに二ノ丸の下まできたとき、きらびやかな唐冠のかぶとに銀色の南蛮鉄の鉄胴をつけ、皆朱《かいしゅ》の槍をかかえて、石段に腰をおろしている由緒ありげな武士を見た。

「よき敵なり」

七蔵は狂喜した。わめくように名乗りをあげると、武士は低い声でしずかにいった。

「朝からの合戦で疲れている。城もこれまでであろう。槍をあわせるのも憂《う》し。そのまま突き入れて来よ」

「名をお名乗りあれ」

「名か――」

武士は七蔵の風体をじろりと見、どうやら雑兵とおもったらしく、

「ない」

といった。

七蔵はとびこんで刺し通し、首を掻《か》いた。顔に、まだ、さきほど七蔵にみせた冷笑がのこっていた。あとでしらべると、ただの首ではなかった。城主長政の甥《おい》で、

浅井新三郎重満という武者であった。七蔵は、これで銀五十枚、とおもった。

その後しばらくして、七蔵は、岐阜へ帰陣した。若党の源次も、傷が癒え、七蔵に従って城下に入った。

「こんどのご武功で、いよいよ旦那さまも千石取りになられまするな」

「そうか。そちは千石とみるか」

下郎の推量とはいえ、うれしくないことはない。

「千石と申せば、足軽ひと組をあずかるひと手の大将でござりまする。家来もずいぶんと新規にお召しかかえなさらねばなりますまい」

「そちにも禄を分けて、侍にとりたててやろうわい」

「あれ、うれしや」

屋敷の前へきた。門前に水がうたれ、門が威勢よくひらいていた。親類縁者の者がむらがって祝辞をのべる中を、七蔵は屋敷に入り、小梅のあいさつをうけた。

小梅の顔をみるなり、七蔵は気ぜわしく、

「例の銀五十枚の借銭の儀、このたびの合戦でカタがついたぞ」

「申しわけござりませぬ」

「おてんは、達者か」

それらしい姿がみえないのである。もっとも側女といっても奉公人にはかわりないから、親類縁者のあつまる席には、連なることはできなかった。

(早うすがたをみたいものよ)

夜がきた。

小梅とのあいだにみょうとの事があったあと、おてんのことを訊《き》きただすと、小梅はさりげなく、

「明夜、作法させるでありましょう」

作法とは、奉公はじめのあいさつである。

つぎの夜、七蔵は、はじめておてんのすがたをみた。小梅がつきそい、型どおり「作法」させたあと、おてん一人をのこして引きさがった。

「おもてを、あげよ」

七蔵は、のぞきこむように見た。存外美人でなかった。この程度の田舎むすめなら、どの屋敷の台所にも下女として働いていそうだった。期待していただけに、だまされたような気がした。

「なんぞ、物語せよ」

人のよさそうな女だった。しかしよほど無口らしく、眼ジリにしわをよせたま

ま、だまっている。

（よい肉付きじゃな）

　膝のあたりが、小袖を通して肉のあたたかみが盛りあがっているような女だった。いかにも、子を生むために奉公にきた、という露骨な印象を七蔵はうけた。

　翌朝、小梅は、小ばなにきなくさい笑いじわをよせて、

「ゆうべは、いかがでありました」

　ときいた。

「おてんのことか」

「おとぼけなされてはいけませぬ」

「まず、子だけは生むであろうかい。それだけのことじゃ。わしには、やはり小梅のほうがよい」

「しかし気だてのよい者でございますよ」

「いかにもそうであるな。気ごころだけは、小梅よりもよいようじゃ」

　ところが、そのおてんが、たいそうな道楽の持ちぬしであることが、ひと月ほどしてわかった。

　七蔵が、城中で、にわかに痢病《りびょう》をやみ、早々に下城した日のことである。屋敷に入ると、あっと立ちどまった。中庭のあたりから、鉦《かね》、太鼓、笛のいりまじった

にぎやかな囃《はや》しが湧くようにきこえた。七蔵は、不覚にもうろたえて、

「なんじゃ、あれは」

若党の源次も首をかしげた。

「どうやら、田植え田楽《でんがく》のようでござりまするなあ」

中庭へまわってみると、いよいよおどろいた。いつ呼び入れたのか、旅の田楽法師が三人、夢中でおどりくるっていた。

おどりのなかに、おてんもまじっていた。というよりおてんが、踊りの中心だった。田植え姿をして紅ダスキをかけ、尻をはしょり、背をかがめ、両手を宙にふりながら、見るも卑わいな身ぶりでおどっている。

小梅もいた。

さすがに小梅だけは踊りに加わらず、えんにすわり、片ひざを立て、手をたたいて笑いころげているのである。

「や、やめい」

七蔵は、とびあがって地駄ン太ふんだ。

(なんというおなごどもであろう)

なさけなくて、涙がこぼれそうになった。

「おてん、来い」

居間で待っていると、おてんは来ず、かわりに小梅が入ってきた。

「おてんをお叱りあそばすおつもりかもしれませぬが、田楽法師をよび入れたのは、小梅でございます。どうぞ、おゆるしなされてくださりませ」

「しかし、踊っていたのは、おてんではないか」

「ごらんあそばしましたか。あの者の田楽おどりは、近郷でも一番といわれたほどのものでございます」

「おれは、叱っているのだ」

「申しあげておきますけど、小梅は、おてんの田楽がみたさに、お屋敷に奉公させたのでございます。小梅がおてんの田楽を見、旦那さまがおてんを夜伽にお用いになれば、それでよいではありませぬか」

そのとおりだ、とおもった。くやしいが、口では、小梅にかなわない。

七蔵は、なんとなく気弱な表情になって、

「それはそれでよいとしても、このたびの行賞でおれがもし千石取りになれば、いろいろと物入りじゃ。田楽などになけなしの金を費《つか》われては、おれがたまらぬぞ」

「そのことなら小梅がこう申しましょう」

唇をまげて、すわりなおした。

「旦那さまの不足を申しあげるのはもったいないことながら、あなた様ほど、もののやさしさをお知りなさらぬかたはございませぬ」

「おれは、そちにやさしいつもりであるわい」

「そのことではありませぬ。もののやさしさとは、詩歌管弦の心得ということでございます。それが無うて、ただ戦場で首をとるだけの武士なら、けものも同然ではございませぬか」

(その首のおかげで、そちらは遊びほうけておられるのではないか)

とおもったが、七蔵はだまっていた。それをいえば、小梅がどう荒れるかわからない。

「まあ、よいわ。おれは一年じゅう合戦に出かけている身じゃ。せめて屋敷にいるあいだなりとも、静かに暮らさせてくれぬか」

それから三日たち、七蔵は、小谷攻めの功によって予想どおり千石の知行をうけた。役目は足軽大将である。

あらたに屋敷地をもらい、さっそく普請《ふしん》にとりかかったが、金を借りあるいても大工にはらう手間賃が半分もあつまらず、邸内の長屋までは手がまわらなかった。やむなく、材木を積んだままにしておいた。

長屋がないというのは、家来をもつ意思がないことだ、といわれても仕方がない。つまり、主人からもらった禄を私有にすることなのである。

うわさをきいた信長がひどく立腹し、森武蔵守長可《もりむさしのかみながよし》をして詰問せしめた。

七蔵は、小梅に教えられたとおりの申しひらきをした。

「材木も貯えおりまするゆえ、長屋はおいおいに造りまする。禄相応の人数の儀も、一人でも良き者をとおもい、日かずをかけて吟味《ぎんみ》しておりますゆえ、いましばらくお目こぼしを願わしゅう存じまする」

森武蔵守は、そのとおりに信長に報告したが、信長はなおも機嫌をあらためず、

「そのうちそのうちと申すが、そのうちに合戦でもあれば、あの男はどうするつもりであるか」

そこへ、秀吉が伺候《しこう》した。

すでに秀吉は、小谷攻めの成功以来、木下藤吉郎をあらため羽柴《はしば》筑前守と名乗り、浅井氏の旧領二十二万石をあたえられて、小谷城主になっていた。

信長は、

「そちは、伊藤七蔵を存じていたな」

「存じておりまするどころか、小谷攻めのとき、あの者がおらねば、城の陥《お》ちるのは半日は遅れ、筑前も、こうして殿の御前で大口はたたけなんだでござりましょう」

「あの男の女房が家を修《おさ》めぬというのは、まことか」

「うわさでは左様にききまするが、まことはいかがでありましょう。拙者の見るところ、あの女房は無類の武功ずきにて、亭主を責めたてては、武功をたてさせておるように思われまする。七蔵の武功の半分は、あのおなごがたてたようなものでござりましょう」

七蔵のためにうそをついて弁護してやった。

「しかし、まだ分限どおりの人数を召しかかえぬというぞ」

「いや、それも、殿からあずかった知行地の百姓から年貢の先どりをして費用をつくるよりも可愛らしゅうござる」

「それほどあの者が可愛くば、そちに呉《く》れてやるゆえ、ぞんぶんに使え」

「これは、かたじけのうござる。秀吉はいま、よい家来がほしゅうてたまりませぬ」

当時、秀吉は、そのころ小谷に居城する一方、信長のゆるしをえて湖畔の今浜という土地に新城をきずいていた。

天正二年、その城が完成し、地名をあらたに長浜とあらためたとき、伊藤七蔵政国は、秀吉の給人帳《きゅうにんちょう》のなかに名をつらねた。役目は、旗奉行である。小梅もおてんも、このあたらしい城下に移住した。

ところが、七蔵の禄高は依然として千石だった。

知行をきめるとき、秀吉は、

「そちは殿から頂戴した家来ゆえ粗略にはせぬが、禄高は千石じゃ。これ以上はやらぬ。女房どのにもそう言うて、千石相応のぜいたくをせいと申しきかせておくがよい」

七蔵は、多少不服だった。直参から陪臣になったのに、禄高がふえないというのは、りくつに合わなかった。

その後、七蔵は、摂津の石山攻め、中国征伐、山崎の合戦などでかずかずの武功をたてたが、秀吉はそのつど最初のことばをくりかえした。

「そちには知行はやらぬぞ。もとどおり千石じゃ」

しかし扶持米《ふちまい》や知行はくれなかったがそのつど過分なほどの金銀を手づかみで呉れた。そのほうが、七蔵にすれば、知行地をおさめる面倒もなく、人数を召しかかえる世話もなかった。むろん、小梅にしてもそのほうが都合がよかったろう。

ところが、女のぜいたくというのは、たかが知れている。合戦のごとに拝領する金銀は蔵に積まれて使いきれなくなり、ついに貯《た》まるいっぽうになった。

長浜に居を移してから十一年たった。

天正十二年といえば、七蔵の四十八歳の年である。

この正月から、七蔵はさしたる病気もなく月ごとに痩せはじめ、ふた月ほど寝て、枯れ尽きるようにして死んだ。最期《さいご》の脈をとった長浜の町医が、「お若いころからの戦場ぐらしのご無理が、つもりつもったのでござりましょう」といった。見かたによっては、女房という鵜匠にこきつかわれてついに斃死《へいし》した鵜であった。

七蔵は死んだが、かれが武功とひきかえに一代かかってふやした金銀だけは残った。

おてんとの間にうまれた七蔵の子は、治兵衛政友といった。

少年のころから才気があった。七蔵の死後、小梅とおてんは相談して、治兵衛には武士をやめさせ、蔵の中の金銀をもとでに、長浜で絹のあきないをさせた。

この家とその一族は、のちにまで近江の商家として栄えた。近江から出たいまの伊藤忠、伊藤万などの商社は、七蔵の家系となにかのつながりがあるのだろうか。くわしくは知らない。

七蔵は「常山紀談《じょうざんきだん》」の記述ではもとは相模《さがみ》のひとだった。「武者修行し、尾州《びしゅう》前田村に居りけるころ、信長呼び出されけり」とある。生涯、女房に気弱だったとはいえ、人としてはめだつほどの男だったのであろう。

北ノ政所

黒百合《くろゆり》一輪

という目録が寧々《ねね》のもとにとどけられたのは、天正十五（一五八七）年の盛夏である。その花、近日贈りたてまつる、と目録のぬしはいう。

（ほんとうだろうか）

寧々は最初その目録を信ぜられなかった。百合が黒いなどとは、もうそれだけで話が幻怪すぎている。

「なにかのまちがいでしょう」

と、寧々は侍女たちにもいった。彼女は夫の秀吉もそうであるように、世に幻怪なものをみとめない。

寧々、禰々ともかく。寧子とも書いたのは彼女が貴族になってからである。貴族の女性はたとえば建礼門院徳子、といったふうに子の字がつく。夫の秀吉が関白になったとき、関白の正室は北ノ政所《まんどころ》といわれる慣例があったために、彼女は世間からそのようによばれた。そのころ宮中での公文書では、

「豊臣吉子」

ということになっていた。これをどう訓《よ》むということについては、彼女自身に定見があったともおもえない。吉という文字がふくぶくしくめでたいがためにその文字が撰《えら》ばれたにすぎないであろう。ともあれ、寧々がどういう文字の名として書かれようとも、彼女が従一位という女性として最高の位階の保持者であり、豊臣家の家庭と局《つぼね》や女官たちの総支配者であることにはかわりはない。

目録の献上者は、佐々成政《さっさなりまさ》である。

成政は、豊臣家に対する政治犯罪者であった。はえぬきの織田家の家人で、信長からその武勇と剛直さを愛され、つぎつぎに抜擢《ばってき》されてやがて一手の将になり、信長の晩年、北陸探題であった柴田勝家の幕下に配属せられ、越中一国を拝領する身分になった。信長が死に、北陸の勝家と秀吉とが跡目をあらそったとき、成政は当然ながら勝家に味方し、秀吉に抵抗した。単に政治上の所属からそうなったというだけでなく、この男ほどはげしく秀吉をきらった旧織田家の将もめずらしい。

秀吉は北陸を鎮圧し、越中に入って成政を降伏させたが、これほど秀吉ぎらいの男の一命を意外にもたすけた。世間は秀吉の度量におどろいたが、たれよりもおどろいたのは成政自身であった。

——なぜおれの一命はたすけられるのか。

という疑念は、成政のような単純勁烈《けいれつ》な男にとっては生涯解《げ》せぬ課題であるかもしれなかった。秀吉は成政などよりも天下を平定しようとしていた。成政ですら殺さなかったという評判は大いに天下をかけめぐり、それを伝えきいた諸国の対抗者たちはわが城をひらき、弓を地になげすててつぎつぎに服従してくるであろう。そのことの効果を、秀吉は期待した。この効果を大きからしめるために、成政に越中の一郡をあたえた。これだけでも世間は驚倒した。さらにひきつづき九州征服後、日本でもっとも膏沃《こうよく》な国とされている肥後五十余万石を秀吉は成政にあたえた。

——なぜ、これほどまでの厚遇をうけるのか。

と成政は思案し、この男なりにやっとなっとくしたのは寧々の存在であった。秀吉に降伏したあと、成政はしばらくお伽衆《とぎしゅう》として秀吉の側ちかく勤仕《ごんし》していた。そのころ寧々にも拝謁《はいえつ》し、またおくりものをも贈った。

(この婦人を、おろそかにできぬ)

という配慮は、成政にある。いったんは敗残した男だけにその種の感覚はむしろひとよりも鋭くなっているともいえる。豊臣家の人事にもっとも大きな発言権をもっている人物といえば、謀臣の黒田如水や創業以来の先鋒《せんぽう》大将の蜂須賀正勝などではなく、この北ノ政所であることを、成政も知っていた。

加藤清正や福島正則を長浜の児小姓《こごしょう》のころから手塩にかけ、その人物を子柄《こがら》のうちから見ぬき、はやくから秀吉に推輓《すいばん》していたのは彼女であるという噂《うわさ》もあり、他のその種のはなしを成政は多くきいている。秀吉も、彼女の人物眼には信用を置いていたし、つねづねそれを尊重し、その意見をおろそかにしなかった。藤吉郎のむかしにさかのぼれば、豊臣家は秀吉と彼女の合作であるとさえいえるであろう。

寧々は陽気な性格で、しかも容体《ようだい》ぶらず、いささかも権柄《けんぺい》ぶったところのない婦人であったが、しかしただひとつの癖《へき》は北ノ政所になってからも草創時代と同様、家中《かちゅう》の人物について評価することを好み、人事に口出しすることであった。しかもその評価に私心が薄く、的確であるという点で、秀吉もそれを重んじ、ときには相談したりした。自然、彼女の威福ややさしさを慕う武将団が形成された。前記加藤清正や福島正則、それに彼女の養家の浅野長政、幸長《よしなが》父子などはそのサロンのもっとも古い構成員といえるであろう。

佐々成政が、自分の数奇なほどの栄達が、あるいは北ノ政所の口ぞえによるものであろうという想像をしたのも、この豊臣家にあっては不自然ではない。

(なぜあの婦人《ひと》が自分のような者を好くか)

という理由も、おぼろげながらわかる。寧々の男に対する好みにはあざやかなくせがあり、殿中での社交上手な人物よりも戦場での武辺者《ぶへんもの》に対して評価があまい。男のあらあらしさと剛直さを愛し、たとえかれらが粗豪なために失敗を演じたとしても、彼女はむしろその失敗を美徳であるとする風《ふう》があった。秀吉はあるとき二、三の武士を「無精《ぶしょう》（粗放）者である」という理由で追放しようとしたが、彼女はそれを耳にし、かれらのためにしきりにわびを入れ、ついに救ってやったこともある。彼女のもとにあつまる武将団がやがては武断派という印象を世間にあたえるにいたるのも、もとはといえば彼女のそうした気分によるものであったろう。

　成政は、その点で、自分のような男が北ノ政所に好感をもたれている理由がわかるような気がした。そのうえ、成政は彼女や秀吉とおなじく尾張人であった。在所うまれの彼女にはこの点でも多少の傾斜があり、豊臣家に多い近江《おうみ》人に対してはそらぞらしい態度をとり、自分と同国の尾張人にはかくべつな親しみをみせた。尾張春日井郡比良村出身である佐々成政については、もうそれだけで寧々は他人とはおもえない気持があったのであろう。

　――この好意に、なにか返礼したい。

　と、成政はおもった。この場合、人事好きの北ノ政所との紐帯《じゅうたい》をつよくしておくことはこのさき遠国《おんごく》暮しをする身にとってこれほど重要なことはない。

　が、なにを贈るべきかに成政は困《こう》じた。彼女はもともと物欲がすくないうえに、いまの身分にあってはなにを贈られてもさほどうれしくないであろう。思案のあげく、成政は自分がかつて国主であった越中国の名山立山《たてやま》の高嶺に黒百合が咲くことをおもいだした。

これほど珍奇な花はない。越中でさえ黒百合の存在を知る者はまれで、わずかに黒部渓谷に住む猟師や立山の権現《ごんげん》を尊崇する行者《ぎょうじゃ》のあいだで、それを見たという者がいるにすぎない。成政はこの黒百合を贈ろうとし、かつては自分の被官であった越中の地侍に急使をつかわし、その採取を依頼した。世にめずらしいとはいえ、現地の木こりや猟師にたのめばわけはない。やがて数株を得、それを桶《おけ》に入れて大坂へはこばせた。花は烈暑をきらうために輸送の点で大骨が折れた。

それが大坂屋敷に到着すると、成政はすぐその一輪を金蒔絵《まきえ》の塗桶に活《い》け、北ノ政所の秘書役である老尼の孝蔵主《こうぞうす》までとどけた。孝蔵主は待ちかねていた。ときをうつさず、北ノ政所の部屋に入り、その床の間に置いた。

「これが」

目録にあった黒百合か、と北ノ政所はつぶやいたまましばらく声が出ず、うなじを伸びるだけのばして花に見入った。黒い、というよりも厳密には暗紫色を呈している。しかし想像した漆黒の花弁よりもその自然な色のほうが紙障子のあかりのなかでは冴《さ》えざえとして黒かった。やがて北ノ政所はふとった体をたえまなく動かして自分のよろこびを表現しはじめた。

「陸奥《むつ》侍従殿のやさしさよ」

と、彼女は声をあげた。成政はこの当時、羽柴姓をさずけられ陸奥守となり侍従に任ぜられていたために、世間では「羽柴陸奥侍従」と通称されていた。なかなかに武士はそうあるべきもの、と彼女は声をうるませていった。剛毅《ごうき》のなかにこのようなやさしさをもつ者こそ織田家の下級武士の家のそだちである彼女の美意識にかなう武将像といえた。これにひきかえて、秀吉が寵用《ちょうよう》している石田三成ら近江系の吏僚たちはどうであろう、かれらにこのような色合いがあるか、とひそかに対比し、いよいよ成政という男を重く評価し、

「さすがは人にやかましい織田右大臣さまのおめがねにかなったお人ではある」

といった。それに心憎いのは越中から幾百里の山河を駈けに駈けさせてこの花ただ一輪を届けた、成政の心事であった。そのとほうもない贅沢《ぜいたく》さのなかに一輪の侘《わ》びを見出している成政は、平素「拙者は茶を存じませぬ」といいながら茶道の極意そのものではないか。

「世に黒百合というものがあるということをたれも存じますまい」

これを披露せねばなるまいとおもい、この黒百合のための茶会を催すべくその準備を命じた。彼女が亭主役ではあったが、茶会を実際に運営する下取持《したとりもち》の役には、堺の鵙屋《もずや》のわかい妻女があたった。鵙屋の妻女とは千利休の娘おぎんのことで、北ノ政所をはじめ豊臣家の婦人たちの茶道の指南役をつとめていた。

この茶会は成功し、大きな評判を得た。招《よ》ばれた客は豊臣家の後宮の貴婦人ばか

りで、当然ながら男はひとりもまじっていない。婦人たちはみな、この高嶺の雪に咲くというお伽じみた花に感嘆の声をあげ、一期《いちご》の眼福《がんぷく》でござりまする、と声をそろえてほめた。

後世、この茶会には尾鰭《おひれ》がついた。

尾鰭は、淀殿を登場させている。淀殿もこの茶会に客としてよばれていたが、あらかじめ黒百合を採集させた。直轄領の支配は大坂の奉行たちがしめくくっている。この奉行たちこそ、石田三成、長束正家《なつかまさいえ》など、淀殿を保護者とあおいでいる近江系の文吏たちであり、この点、彼女にとってすべてつごうがよかった。

それがまだ大坂にとどかぬ前、淀殿はこの北ノ政所の茶会の客となった。他の客は一輪の黒百合にこの世の不可思議を発見したがごとくおどろいてみせてくれたが、しかし淀殿だけは例外であった。しずかにそれを眺め、通りいっぺんにそれをほめた。その落ちついた態度が北ノ政所にはいぶかしかった。生来、物事に鈍感なのか、そうとも思える。それとも淀殿は黒百合をすでに知っていてめずらしがられないのか、そのどちらかであった。

それから三日後、事があきらかになった。淀殿の住む二ノ丸の長廊下で花摘供養《はなつみくよう》が催され、北ノ政所もまねかれた。彼女が孝蔵主をつれてゆくと、三日前、彼女があれほど自慢にしあれほどに騒いで茶会まで催した当の黒百合が、他のおみなえしなどの雑草と一緒に手桶に押しこまれ、活けずてに活けられているではないか。それも一輪や二輪ではなく、二十、三十と乱雑に活けずてられ、

——黒百合などは珍花ではない。

と、北ノ政所のものしらずをあざわらっているかのようであった。人としてこれほどのはずかしさにたえられるものではない。それに、彼女の恥辱は公開されている、事はもはや豊臣家の女どもの支配者としての威権に関することであった。彼女は淀殿を憎むだけでなく、ことごとく黒百合を献上してこの恥辱を蒙《こうむ》らせた佐々成政を憎み、やがて秀吉を動かすことによって成政からあたらしい領国の肥後をとりあげ、ついには摂津尼崎で切腹させるという結果をつくりあげた。……

と、いう。

この尾鰭はのちのちひとに信ぜられたが、しかし事実とは言いがたい。成政が所領を没収された天正十五年にはまだ淀殿は秀吉の側室になったかならぬかの時期であり、これほどの企画をもって北ノ政所と対抗するほどの勢威は、当然ながらまだ持つにいたっていない。それに佐々成政の失脚はべつの事件と政治的理由によるものであり、黒百合のはなしにかこつけるには他愛なさすぎるであろう。しかし彼女

類がない。

と淀殿のふたつの閨閥《けいばつ》のあらそいがのちのち豊臣家の政治と運命にすさまじい影を穿《うが》ってゆくという事実を、事実以上に象徴化した点でこれほど陰翳《いんえい》の濃いはなしも類がない。

さて、話をもどさねばならない。佐々成政が秀吉から死を賜わるのは天正十六年閏《うるう》五月であり、このため肥後は欠国になった。この成政のあとをたれに賜うか、ということが、殿中の話題になった。秀吉は織田家の一部将の身からにわかに天下を得たためにのちの徳川家とはちがい、はえぬきの家来のなかで国持大名になるほどの器量や前歴、家格をもつ者がすくなく、この場合、旗本のなかから抜擢せねばならなかった。

「たれがよいか」

秀吉は、寡黙ではない。思案も、まるで唄でもうたうように喋《しゃべ》りながらする。それを聞き、寧々は、いや北ノ政所というべきか――すかさず、

「虎之助こそしかるべきでありましょう」

といった。虎之助とは清正の通称である。清正という若者は秀吉の母大政所《おおまんどころ》の縁者で、かれが五、六歳のころ秀吉はその母親から養育を託された。秀吉は快諾し、長浜城の台所めしをくわせて育てた。寧々がほころびを縫ってやったこともあり、夏冬の着せるものも寧々が心配したし、いたずらを叱りつけて打擲《ちょうちゃく》したこと

もある。かけた手塩がそのまま寧々の愛情になっており、彼女にとって清正ほど可愛い子飼いはない。やがて児小姓になり、ついでわずか十五歳で百七十石に取りたてられ、賤ケ岳《しずがたけ》で功名したあとは三千石にとりたてられた。身のたけは六尺を越え、戦場での剽悍《ひょうかん》さは類がないうえに将才武略もありげである。それに寧々の目からみてなによりも可愛げのある性格で、この若者ならば豊臣家として恩をほどこしても他日むくいるであろう。

「まだ稚《わか》いわ」

秀吉は拒否するでもなく、つぶやいた。三千石の職能しか経験したことのない二十六歳の若者を一躍大大名にするのはどうであろうというのであったが、しかしにわかに政権を得た豊臣家の実状としては諸事速成を必要とした。「よかろう」と、秀吉はいった。

清正にする、ときめたあと、秀吉はこの人事に自分の壮大な別の構想を結びつけ、きらびやかな意味づけをもたせた。他日、大明《だいみん》に攻め入る、ということである。大明征服ということは秀吉がまだ織田家の部将であったころからの夢であり、生涯のうちでこの夢だけは実現したい。信長の在世当時、姫路から安土《あづち》へ伺候《しこう》したとき半ば冗談で、「そのときはそれ、九州をたまわり、その兵をつれてゆきまする」といった。九州、九州と秀吉がいったのは大明への渡海に便利だからであろう。かつ肥後（熊本県）は九州のなかでも国中美田にみち、日本国のどの国よりも数多く兵をやしなうことができる。さらに肥後人は菊池氏以来勇武をもって知られてもいる。この国を清正にあたえればどうであろう。秀吉の麾下《きか》で、虎之助清正ほど外征の先鋒大将に適《む》くおとこもいない。肥後の経済力はその過重な軍役に十分に堪《た》えうるし、清正ほどの男が肥後兵をひきいてゆけば大明の兵がいかにつよかろうともらくらくと粉砕できるにちがいない。

「半国をあたえよう」

秀吉はいった。半国といっても二十五万石であり、三千石の清正の身上《しんしょう》からいえば気が遠くなるほどの栄達である。

清正がこれをきいたとき、秀吉の大恩を感ずる一方、それよりも深い情感をもって自分の養母ともいうべき北ノ政所のあたたかさをひしひしと感じた。幼児が、湯あがりの母親のにおいを嗅《か》ぎ慕うような気持が、つねに清正の北ノ政所に対する心情のなかにある。清正にとって義理の主人が秀吉であり、情感のうえでの主人が北ノ政所であったともいえるかもしれない。

「あとの半国二十四万石は、弥九郎にあたえることにした。仲よくせよ」

と秀吉からいわれたとき、清正は顔を伏せ、平伏しつつ、いいしれぬ憤りをおぼえた。

（あの薬屋あがりの弥九郎めが）

と思うと、秀吉の心事が理解できない。清正は、武士とは武功あってのねうちであるという素朴な価値観を信奉している。この点、かれの保護者である北ノ政所の価値観とすこしも変らないし、価値観がおなじであればこそ彼女は清正を愛し、清正も安んじて彼女になついてきた。しかし清正にとって秀吉の人事はわからない。

小西弥九郎行長は、秀吉が織田家の部将として中国経略をうけもっていたころにひろった男である。

機略に富み、外交感覚があったために秀吉はこれを帷幕《いばく》にくわえ、下級参謀将校としてほうぼうに使いをさせた。さらにその父親の堺の薬種商小西寿徳や兄の如清をも召しかかえ、秀吉の側ちかくに置き、ときに経理をも担当させて、大いに寵用した。秀吉が政権を得るにいたっては、清正のような野戦攻城の軍人よりも行長のような経済眼のある政略家のほうを重用するようになったのは当然であろう。ついでながら商人の小西一族は堺から大坂にかけて繁栄していたが、行長の小西家はその一統のなかでも中位の家で、その方面でも名家というほどのものではない。

薬種商という稼業《かぎょう》がら、代々対朝鮮貿易に熟し、行長も何度か渡海したことがあり、朝鮮の地理や情勢にあかるく、そのうえ朝鮮語もできた。この点が、秀吉にとって魅力であった。ゆくゆくは対朝鮮外交を担当させたいし、いざ韓《から》入りというときには清正とならばせて先鋒大将をつとめさせたい。清正の武勇に行長の機略、対外知識を両翼とすれば征討軍は鬼に金棒であろう。

が、そのことは清正には理解できず、

(所詮《しよせん》は、こうか)

という偏見のみで、事態をみた。武功はなくとも殿中の畳の上で阿諛《おべつか》をつかい、秀吉の機嫌をとりむすぶ武士が戦功者よりも重用されてゆく世の中である、ということであった。しかもその殿中派が豊臣政治の中枢にむらがり、鞏固《きようこ》な団結をむすんでいる。才子の石田三成が党首格になって近江系の吏僚を統《す》べ、小西行長もその系列に属していた。

(遠国へゆけばどうなるか)

という心配が、当然清正にはある。清正は殿中派を憎みかつ疎遠である以上、中央でいいかげんに讒言《ざんげん》されれば佐々成政のように赴任後所領没収、切腹というような運命にならぬともかぎらない。あのとき成政がもし殿中派と親交があれば中央のとりなしも効き、ああいう悲運にはならなかったであろう。

(行長は三成と仲がいい。この点、うまくするにちがいない)

というその一事のみが清正の気がかりであった。このため、封地《ほうち》につくにさきだち、北ノ政所に拝謁し、

「ごぞんじでござりましょうか」

と、歎願《たんがん》するように申しあげた。

「それがしはかの薬屋めと仲が悪《あ》しゅうござりまする。それが一国五十万石を二つに割ってそれぞれ統べまする以上、当然紛争もおこり、双方気持も削《そ》ぎ立ってまいりましょう。さればかの薬屋めは治部少輔《じぶしょうゆう》（三成）を通じて上様に拙者を讒言するにちがいございませぬ」

そのときはそれがしを哀れとおぼしめしてお救《たす》けくださりませ、というのが清正のねがいであり、膝《ひざ》に甘えるような気持でそれをいった。

「わかっています」

彼女は、ためらいもなくうなずいた。清正の前途への惧《おそ》れは、彼女にも十分理解できる。

それ以上に同憂の仲間といっていい。彼女自身も、清正とおなじくこんにちの殿中重視の豊臣政権の傾斜にひそかないきどおりをもっており、三成や行長の徒に好意をもっていない。

——安んじて、ゆきなさい。

と彼女は清正にいった。つねに言葉の明快なのが、彼女の特徴であった。この相変らぬ歯切れのよさに接して、清正は相貌《そうぼう》まであかるくなり、いそいそと退出した。

が、彼女自身、その言葉が明快なほどには気持は明るくなかった。秀吉が木下姓であったころは彼女の内助なしに秀吉の功は語れない。人事の相談役になり、外征中の秀吉のために織田家に対する社交をつとめ、家中の情勢をも知り整えて秀吉に教え、また一家の家計をやりくりする一方、郎党どもの面倒もよくみた。もし彼女がいなかったならば、こんにちの秀吉は成立しなかったかもしれない。

近江長浜城主であった羽柴姓時代も同様であった。この時期、秀吉は中国筋に出むいてほとんど不在であったために、事実上の城主は彼女であったとさえいえるであろう。

ところがいまは彼女のその役目を、石田三成ら奉行たちがやっているのである。豊臣家の機能が整備するとともに、彼女はその役割りから失職したといっていい。

その機能も、消滅した。清正がたとえ讒言されたところで、それを処理する三成らの行政機関に彼女はなんの働きかけもできないため、保護してやれるかどうかわからない。

が、秀吉の彼女に対する態度は以前とすこしもかわらない。

「そもじのみは、べつのうちのべつである」

と、秀吉は口ぐせのようにいった。数多くの側室をかかえているが、寧々と彼女らとはべつである、格別にそなたを愛《いとお》しんでいる、たれよりもそもじが可愛い、という情愛のうえでの意味にもうけとれるし、また、地位をさしているのかもしれない。寧々は豊臣家の主婦であり、豊臣家そのものであるが、多くの側室たちは法制上奉公人にすぎず、彼女らからみれば秀吉が主君であると同時に寧々は主筋であった。だから、「べつのべつである」ということにもなるであろう。

事実、豊臣家主婦としての寧々の地位はいかなる時代のどの婦人にもまして華麗であった。

秀吉が内大臣になったとき彼女は同時に従三位になり、さらに進められて天正十五年には従二位になった。つづいてこの年の九月十二日、彼女は姑の大政所とともに大坂から京の聚楽第に移ったが、このとき秀吉の好みでととのえられた道中の行列、行装《ぎょうそう》は、史上、婦人の道中としてあとにもさきにも類のない豪華さであった。女官の供だけで五百人以上にもなったであろう。輿《こし》が二百挺《ちょう》、乗物が百挺、長櫃《ながびつ》以下の荷物の数はかぞえきれない。これに従う諸大夫と警固の武士はことごとく燃えるような赤装束で、いかにもこの国で最高の貴婦人の上洛《じょうらく》行列を装飾するにふさわしかった。

しかも、沿道では男の見物は禁じられた。僧といえども、人垣にまじることは禁止された。理由は、かれらが若い女官の美貌をみて劣情をおこすかもしれぬことを配慮したがためであった。ひそかに想うことすら、北ノ政所に対する不敬であるとされた。この行列は評判をよび、天下に喧伝《けんでん》された。北ノ政所こそ日本国第一等の貴婦人であるという印象が六十余州にゆきわたったのは、秀吉が演出したこの行列の成功に負うところが大きい。

翌十六年四月十九日、つまり清正の肥後冊封《さくほう》より一月前、この「豊臣吉子」は従一位にすすめられた。すでに人臣の極位である。尾張清洲《きよす》の浅野家の長屋で薄べりを敷いて粗末な婚礼をあげたむかしからおもえば、彼女自身でさえ信じられぬほどの栄達であった。

「しかし、私が私であることにかわりはない」

と、寧々はつねづね、侍女たちにいった。彼女の奇蹟《きせき》は、その栄達よりもむしろ、そのことによっていささかもその人柄がくずれなかったことであった。彼女は従一位になってもいっさい京言葉や御所言葉をつかわず、どの場合でも早口の尾張弁で通した。日常、秀吉に対しても、同様であった。藤吉郎の嬶《かかあ》どのといったむかしむかしの地肌にすこしも変りがなく、気に入らぬことがあると人前でも賑《にぎ》やかな口喧嘩《くちげんか》を演じたし、また侍女を相手につねに高笑いに笑い、夜ばなしのときなどむかしの貧窮時代のことをあけすけに語ってはみなを笑わせた。さらに前田利家の妻のお松などは岐阜城下の織田家の侍屋敷で隣り同士のつきあいをしていたが、その当時の「木槿垣《むくげがき》ひとえの垣根ごし」の立ちばなしをしていた寧々の態度は、お松に対してすこしも変らない。

「またとない御方である」

と、お松などはしばしばいった。

「北ノ政所さまは、太閤《たいこう》さま以上であるかもしれない」

お松はかねがね、その嫡子の利長、次男利政にいった。

このお松という、前田利家の古女房そのものが、利家の創業をたすけてきたという気概があるだけに尋常な女ではない。利家の死後は、

「芳春院」

というあでやかな法名でよばれ、加賀前田家では尼将軍ともいうべき権勢があった。これはのちの話になるが、利家の死後、前田家の帰趨《きすう》について、いちいち寧々と相談し、いちいち寧々の意向に従った。その嫡子の利長にも、

「すべては北ノ政所さまに従え」

と訓戒した。となれば寧々のもつこの気さくさと聡明さこそ彼女の人気をつくり、それが豊臣大名のなかで隠然たる政治勢力をつくりあげていたということにも

なるであろう。

　もっとも、寧々のもつ威福は、寧々単独のものでもない。秀吉の寧々に対する過剰なほどの愛情演技と尊敬が、世間に投影していた。世間のたれもが、秀吉の愛している第一のひとが北ノ政所であるということを知っていた。

「そもじ、そもじ」

　と、秀吉は、公家《くげ》言葉で寧々をよんだ。手紙にも、そう書いた。

「そもじ、めしを参り候《そうろう》や」

　という、それだけのことを、秀吉は留守の寧々に申し送った。飯をたくさん食っているか、というそれだけのことを、である。

（冗談ではない）

　と、そのつど、寧々はおもった。彼女はなににもまして健康で、平素食欲が旺盛《おうせい》で、さなきだに肥《ふと》り肉《じし》をもてあましているのに、これ以上食うことを奨励されてはどうにもならない。もっとも痩《や》せぎすの秀吉は豊頬《ほうきょう》肥満の婦人をこのむところがあり、時代もそのような婦人を美人であるとしていたから、美容上の心配をしているわけではなかったが。しかし食欲がどうであるにせよ、このような秀吉の手あつさが、豊臣家における彼女の位置をいよいよ重くしたことはたしかであった。たとえば天正十五年の九州の陣のときなど、秀吉は上方《かみがた》から数百里はなれた肥後八代《やつしろ》の

陣中から例によって大坂の寧々のもとに手紙を送り、合戦のもようや九州の状勢などをしらせたその末尾に、

「いや、わしもこんどの陣ではすっかり年をとった。気づけばなんと白髪が多くなっているではないか。このぶんではいちいち抜くこともならぬほどである。なんともはや、大坂へ帰ってそもじに会うことがはずかしい」

まるで恋人に出すような文面であった。しかもそれだけではなく、さらに寧々をよろこばせている。

「しかしながら、いかに白髪がふえたからといって、他の女ならばともかく、そもじならば遠慮も要《い》るまい。それにつけてもこの白髪のふえたことよ」

(あいかわらず、お口のお上手なことを)

と寧々はなかばばかばかしくもあるが、しかし本心がうれしからぬはずもない。その証拠にこの手紙を——見やれ、上様のおかしさよ、といいながら侍女たちにも読ませてやった。

秀吉の肉体は、このころから衰えはじめている。その証拠に、九州から凱旋《がいせん》したあたりから、夜、寧々の閨《ねや》をおとずれることも稀《まれ》になった。訪れても、

——やあ、達者か。きょうも飯は参ったか。さて、おもしろい話をしてやろう。

と、相変らず声喧《やかま》しく物語り、いよいよ寧々に対して緊密な態度をみせるばかりで、そのくせ夫として果たすべき閨でのことまでは、気根が及ばない。なるほど、秀吉は老《ふ》けた。九州のはるかな陣中から送りとどけてきた老いのなげきのとおり、からだが衰えてきたのであろう。

他の側室に対しても、同然らしい。

——あまり、上様は、渡らせられませぬ。

と、彼女らはその閨怨《けいえん》、とまではいいがたい物淋《ものさび》しさを、寧々に訴えた。寧々は気さくにそれをきいてやった。そのせいか寧々は彼女らのあいだにも人気があり、とくに加賀ノ局、三条殿、松ノ丸殿などは寧々をもって姉のように慕った。このため寧々は彼女らの実家からも慕われるところが多かった。加賀ノ局は前田利家とその妻の前記お松とを両親とする女《むすめ》であり、三条殿は蒲生《がもう》家の出であり、松ノ丸殿は京極《きょうごく》家の出であった。その実家はいずれも豊臣家にあってはもっとも勢力のある大名たちといってよく、それらが女を通じて寧々と結び、それを頼りにしている。寧々の政治力のつよさは——彼女自身が企図したものではないにせよ——尋常一様なものではない。

が、この時期から、豊臣家の殿中の勢力に、以前とはちがった変化がおこりはじめた。秀吉が、——この気づかいのこまかい男にしてはかつてあったためしのないことだが、ただひとりの婦人の閨室にのみ浸《ひた》りきるようになった。浅井家の出で、幼名を茶々、豊臣家に入ってからは最初二ノ丸殿とよばれ、ついで淀殿とよばれるようになった女性である。その美貌もさることながら、淀殿の血統ほど秀吉にとって蠱惑《こわく》にみちたものはないであろうことを、寧々は気づいていた。秀吉は卑賤《ひせん》から身をおこしたせいか、貴《たか》い門地でそだった女性に異様なほどのあこがれをもち、それがいまの身分になってもかわらない。げんに秀吉がまだ低い身分のころ、かれのその当時の位置としては、織田家の侍分を養家にもつ寧々がその憧憬の対象であった。

（男のあこがれというのは、年をとっても成長せぬものらしい）

と、寧々はむしろ奇異におもっている。秀吉は貴族好みといっても武家貴族のみで、公卿、親王の娘などをいまなお好まず、それらを後宮に容《い》れようともしないのは、そういう貴族は彼の若年のころは目に触れたこともなく、現実の憧憬を刺激しもしなかったからであろう。秀吉の性的憧憬は、若年のころ目に触れた範囲内を限界としていた。そのなかでもっとも秀吉に身近な武家貴族は織田家であった。そのころの秀吉にとっても、いまの秀吉にとっても、信長の一族だけが最高の貴族であり、その血をひく女性こそ姫御料人とよばれるにふさわしい存在だったであろう。そのころ織田家では、お市《いち》という信長の妹がいた。婉麗《えんれい》近国にならぶ者がないといわれるほどの容色で、秀吉もひそかに高嶺をあおぐようにしてそれを焦がれたにちがいない。そのお市は織田家から北近江の大名の浅井氏に輿入れした。その後状勢が変転し、浅井氏は信長にほろぼされ、お市は子女をつれて柴田勝家に再嫁した。その勝家を、秀吉が越前北ノ庄に追いつめてほろぼしたとき、お市も自害した。残された遺児を、「右大臣（信長）さまのめい御である」とし、秀吉は珍重して養育した。その三人の娘のうちの長女が淀殿であった。それを大坂城二ノ丸に住まわせたから「二ノ丸殿」と通称されたが、そのころ淀殿が秀吉に靡《なび》いたかどうか、寧々にもわからない。寧々の想像するところ、淀殿が秀吉をその閨にうけいれたのは、九州から凱旋後の天正十六年の秋あたりであったかとおもわれる。

その証拠に、この年つまり天正十七年正月、秀吉は、にわかに、

「淀に城をつくる」

と言いだしその普請《ふしん》と作事を、弟の大和大納言秀長に命じた。淀は山城にあり、大坂から京へのぼるときはかならずここを通過する。そこに淀殿を住まわせるということであり、その側室のために城ひとつを築くなどということは秀吉にとってかつてないことであり、よほどこの婦人を愛しはじめた証拠であろう。

「たいそうなことでございますね」

と、寧々はそれを耳にしたとき、皮肉ともつかぬ言い方で秀吉にいった。秀吉は

首をすくめ、急に声をひそめた。

「聞いたか」

と他人事《ひとごと》でもささやくような、そんな調子であったが、顔だけは無邪気そうに笑っている。この愛嬌《あいきょう》にみちた、毒気を消しきった笑顔には寧々は何度たぶらかされてきたことであろう。ひょっとすると半生、この笑顔に釣られて送ってきたといえるかもしれない。

「ひとごとではございませぬ」

「あれは主筋《しゅすじ》だ」

と、秀吉はそこに力をこめた。ただの側室や女奉公人ではなく、信長のめいである以上主筋である。主筋であるがために格別な待遇をせねばならぬ、――これが義理だ、と秀吉はいった。

「主筋でしょうか」

信長からみれば外姪《がいてつ》である。外姪までを主筋ということはあるまい。

「いやいや、主筋だ」

秀吉は、拠《よ》りどころをあげた。天正十一年四月二十三日、秀吉が織田家における旧同僚の柴田勝家を越前北ノ庄城に追いつめたとき、勝家はついに戦いを放棄し、自殺する旨を秀吉に通告した。そのとき、富永新六郎という家臣を秀吉の陣営につ

かわし、

「ここに三人の娘がいる。浅井長政の遺児である。貴下も知ってのとおり、三人は先君の血続きであり、貴下にとっても主筋にあたる。おそらく貴下もわるいようにははからうまいと思い、貴陣へ送りとどける」

と口上させた。秀吉は当然、勝家の希望をうけいれた。このとき「主筋」という言葉が公式につかわれた。淀殿とその二人の妹が秀吉の主筋であることが、歴史のなかですでに公示され公認されたといっていいであろう。秀吉は寧々にそのいきさつを話し、それによって淀殿に対する格別な厚遇を理由づけようとした。

「それは、もう」

故右大臣のことである。

「わかりますけど」

と寧々は言い、あごをひいて、不得要領に苦笑した。これ以上この好色漢を追いつめることもむだだし、気根が尽きて話題をひきさげたのだが、かといってその程度の屁《へ》理屈で彼女の理性も感情もなっとくはしていない。

(主筋だから、つまりそれだから夜ごとあの女性《にょしょう》と閨でおすごしあそばさねばならぬか)

と、その点をつねづね笑止に思っている。三条殿や加賀殿も、その点を不快におもっているようであった。彼女らは寧々の御殿にあそびにくるたびに、育ちのわりには意外なほどの露骨さで悪口をいった。むろん、秀吉の悪口はいえない。淀殿に対してであった。淀殿は自分たちに会釈《えしゃく》もなさらぬとか、なにを鼻にかけてか上様にすら傲慢《ごうまん》であるとか、淀殿付きの侍女の数は炊《かし》ぎ女《め》までをいれると五百人にもおよぶでありましょうとか、またあの方は大蔵卿《おおくらきょう》ノ局《つぼね》や正栄尼など、もと浅井家に仕えた女浪人どもをあつめすぎていらっしゃいます、とか、そのようなたぐいの蔭口であった。

「まあまあ」

寧々は、肉のあつい微笑をうかべながら、顔色も変えず根気よくきいている。愉快な話題ではなかったが彼女らに同調することは豊臣家の正室という自分の沽券《こけん》にかかわるであろう。

「よいではありませぬか」

と、ときどき、彼女らを、彼女らの保護者としての立場からなだめざるをえない。

寧々は、行儀のいいほうではなく、話をききながら何度も立膝の足を変えたり、変えるときに裾《すそ》の奥までみせてしまったり、頬《ほお》を掻《か》いたり、痰《たん》を切ったり、じっとしていることができない。少女期に躾《しつけ》をされることがなかったためというより、天性闊達《かったつ》なたちで、自分を作法上手の鋳型《いがた》にはめてしまうことができないのであろう。その寧々が、淀殿のうわさについて、からだを凝然と静止させてしまったことがある。側室たちが話したことではなく、そのことは彼女の女官長である孝蔵主が話したことであった。

淀殿は、そのひざもとに近江人を集めているという。近江系の大名を、である。かれら近江系大名の来歴は、秀吉の長浜入りから出発している。秀吉は信長からはじめて大名にしてもらったのは、近江長浜においてであった。石高は旧浅井領三郡二十万石であり、このあと木下藤吉郎から羽柴筑前守に名乗りを変えた。二十万石相応の人数をかかえねばならず、そのため地元の近江で地方の門閥家や、歴戦の浪人や僧侶くずれの才子などを大量に採用した。それらが豊臣家における近江閥になり、その出身上の特徴として経理にあかるい。財務感覚に長じているだけでなく、他地方にはない帳簿の技術までこの地方の出身者は知っており、それらの技能があるために石田三成、長束正家、増田《ました》長盛らは豊臣家の五奉行に抜擢され、財政と庶政を担当し、近江閥の頂点にすわった。

かれら近江人（厳密には北部近江人だが）は、そのほとんどが浅井家の旧臣の出であった。口にこそ出さね、ほろんだ旧主家への感傷的な忠誠心は当然もっていたが、淀殿の擡頭《たいとう》とともにその感傷心は対象を得た。秀吉がかつて織田家のお市御料人にこそ照りかがやくような貴種を感じたがごとく、かれらは浅井家の遺児の淀殿にこそそれを感じた。淀殿こそ真に貴婦人にあたいする存在であり、しかも醇乎《じゅんこ》とした主筋であり、すでに男系が信長によって殺されているだけに、主筋どころか、旧主そのものであるという感じを淀殿に対して持った。当然、その膝下《しっか》にあつまった。

淀殿も、旧臣という親しみをもって、かれらに接した。かつ淀殿の老女たちはともに近江人であり、かれら近江系大名と幾重にもつながりや交通があり、その雰囲気のなかで淀殿は自然かれらの保護者になった。

(淀殿は、自分に対抗しようとしている)

ということを、この話題から寧々は感じ、単なる御殿者たちの蔭口として聞き流せなかった。肥後の一件についても、清正とならんで小西行長が冊封されたという現象が、寧々にとって冷静に見すごせない思いがした。淀殿が三成とともに秀吉に嘆願し、その閥員のひとりである小西行長を推挙したためではあるまいか。

「おそれながら北ノ政所さまに対し、ゆくゆくはお凌《しの》ぎあそばそうという御心を淀殿はおもちではあるまいか、と思うのでございます」

と、物事の理解にさとい孝蔵主はいった。凌ぐ、といっても正室の座を狙《ねら》っているわけではなく、実質上の勢威を築きたがっているということであろう。寧々にとってこれほど片腹いたいことはなかった。豊臣家の後宮で人事に口出しできる存在は、この家をつくりあげた糟糠《そうこう》の妻である自分以外にない。以外にあるべきはずもなく、あってよいことではない。許されぬことだ、とおもった。

が、寧々は、秀吉にはそのことについてはいっさい苦情がましいことはいわなかった。

秀吉も、心得ている。

自分の心が主筋の淀殿へ傾けばかたむくほど、寧々に対し、いままで以上の優しさと配慮をそそぎ、彼女の豊臣家主婦としての誇りをいよいよ尊重する態度をとった。

淀城は意外に早く落成した。天正十七年正月に着工し、三カ月後にはほぼできあがった。その普請の早さよりも、世間をおどろかせたのは淀殿の妊娠であり、淀城が完工して二カ月目の五月二十七日、男児を出産したことであった。最初の児の、鶴松である。

——あるいは。

という声が、奥ではささやかれた。太閤さまのおたねではあるまい、太閤さまはだまされておわす、ということであった。そのことが、局々の側室たちのまわりでささやかれた。秀吉に子だねがなさそうなということは、かれ自身と肌を接してきた側室たちが漠然と感じていた。第一、あれほどの女好きであるため、もし秀吉の機能が健康ならば過去にたれかが妊娠しているはずであろう。それが絶無であるらしいところをみると、この件こそいぶかしい。

（左様、いぶかしい）

と、寧々こそ、秀吉との閨の歴史がながいだけにたれよりも不審におもった。が、寧々はその不審をいっさい口にせず、鶴松の誕生を豊臣家の主婦として大きに祝った。主婦としてだけでなく、寧々は法的には母親でもあった。

お母《かか》さま

と、彼女はよばれた。鶴松の母親はふたりいることになり、淀殿も「お母さま」とよばれた。秀吉や鶴松のまわりの者が区別していわねばならぬときは淀殿は単におかかさま、あるいはおふくろさまであり、寧々は、

まんおかかさま

とよばれた。まんとは政所のまんのことであろう。鶴松に物を贈るときも、寧々自身、

——これは、まんおかかさまからである。

というふうにいった。

鶴松の出生は、近江系大名たちにとって大きな凱歌《がいか》であったろう。かれらの保護

者である淀殿の豊臣家における位置は、側室から御生母へと飛躍した。外様《とざま》の諸侯も、北ノ政所に物を贈るよりも淀殿へ手厚く贈りものをするようになり、寧々の諸大名のあいだでの威望は当然ながら後退した。寧々は、

——淀殿のお手柄である。

といって諸事、意にもとめぬふうを粧《よそお》っていたが、しかし孝蔵主以下、寧々付きの女官たちにとってはそれで済むわけではなく、このあたらしい現象に対し、つねにとげとげしい態度をとった。このまま鶴松が成人すれば、豊臣家の中心は淀殿とこの嫡子が占め、北ノ政所の威福などはもはやむかしの語り草になるにちがいない。

鶴松出生の翌天正十八年、秀吉は大軍をひきいて東下《とうげ》し、関八州に覇権をもつ北条氏をその居城小田原にかこんだ。

秀吉は長期攻囲の方針をとり、城をゆるゆると干すために陣中に士卒のための遊女をよんだり、猿楽を興行したりしたが、さらに諸侯に対し、妻妾《さいしょう》をもよばせた。

「そのようにした」

と、寧々にも手紙で知らせてきた。その手紙というのは、

「はやばや、敵を鳥籠《とりかご》へ入れた。このためもう危険ないくさもあるまいから、安堵《あんど》

するように。若君（鶴松）を恋しくおもうが、しかしこれも将来《ゆくゆく》のため、いまひとつは天下を穏やかにするための合戦であるとおもえば、恋しや、とおもう気持も思い切ることができる。自分も陣中で灸《きゆう》などをして身養生につとめているからくれぐれも気づかいはするるな。さてさてこのたびの小田原陣は、長陣たるべきことを指令した。それがために大名どもには女房を陣中によばせることにした。——されば」と、秀吉は本題に入っている。秀吉は詮《つ》まるところ、淀殿をよびたい。が、それをいきなり言わず、その点について寧々の心情を察し、立場に気をこまごまと兼ね、さらにはその自尊心のひだをもかい撫《な》でてやりつつ、かすれ筆を運びすすめてゆく。

右とうとうりのごとくに（右のごとくに）
ながじんを申しつけ候まま
其《その》ために
よどの物（淀の者）をよび候わん間
そもじよりも
いよいよ申しつかわせて、まえかど（前件）に用意をさせ候べく候
そもじに続き候ては、よどの物、我等の気に合い候

正室である寧々から淀殿に小田原下向《げこう》を命じてもらいたい、準備もさせてやってくれ、と秀吉は彼女の地位と体面をそれによって立てさせ、彼女がもつであろう不快を、そのことですりかえてしまおうとしている。

（あいかわらず、なかなかな）

と寧々は苦笑し、片方では秀吉の心底を見すかしつつも、このように出られてはは腹立ちを持ち出してゆく場所がなかった。しかも文中、「そもじの次には淀の物がわしの気に合っている」と、ぬけぬけと立てられおおせてはどのようにもならず、この手紙そのものが寧々への睦言《むつごと》の手紙かとつい錯覚させられてしまう。さらに末尾には、

「自分は年をとってしまったが」

と、その一項を秀吉は書きわすれない。やがて小田原でおこなわれるであろう淀殿とのあいだのなまなましい閨中について、寧々の想像や連想を、この一語で封じてしまおうとする配慮であり、これは秀吉の身勝手というよりも、寧々の心を軽くしてやろうという、——まあ都合はいいがそういう優しみのあらわれとみてやるべきであろう。それほどに老いているならば寧々はほんのわずか嫉妬《しっと》するだけで済むというものであった。

「こういうお手紙がきています」

と、寧々は孝蔵主にみせた。寧々は小田原にこそよばれないが、しかしこれを孝蔵主に読ませても、恥辱にはなるまい。なぜならばこの文章では秀吉は寧々を淀殿以上に愛しているし、寧々の地位を淀殿に対して主座にあり、命令権さえもっていることを陣中から確認してきているからである。

が、寧々は、淀殿に対し、かるがると腰をあげて自分の口から支度をすすめるほど、人好くはできていない。そのような寧々ならば秀吉も気が楽であったであろう。この場合もこれほどに機微をつくした手紙を書き送って来まいし、その必要もなかった。

「よきように、はからいなさい」

と、寧々は手紙を投げ、孝蔵主に命じただけである。孝蔵主は当惑した。淀殿に対してどう計らっていいかわからない。どう口上し、どの程度に淀殿の世話をやくべきか——さてわかりませぬ、どのように致せばよろしゅうございましょう、と寧々に問いかえすと、

「なにを、当惑することはない」

と、はじめて小さく笑った。寧々のいうには、寧々に対してもこれだけのゆきとどいた手紙を出す秀吉である。当の淀殿に対しては使いも出し、十分なことをこま

ごまと指図してきているにちがいなく、当方から世話を焼くことはなにもない。あるはずがない。余計なことをすればかえって恥をまねく、ということであった。が、孝蔵主は、解せない。秀吉の手紙では寧々から淀殿へ下知してやれ、と書いてあるではないか。

「尼殿も、ものがたい」

寧々はいま一度笑い、「それはつまり、ことばというものです」といった。秀吉の修辞にすぎず、修辞はもう寧々の心をやわらげただけで目的をはたしている。内容について、そこまで几帳面《きちょうめん》になる必要はない。

「そなたから淀のお人の老女にまで、このたび関東ご下向のこと、ご苦労に存じまする、とあいさつしておけば、もうそれでよろしいでしょう」

と、寧々はいった。

やがて鶴松が早世し、秀吉はその悲歎《ひたん》のなかから外征の指令を発した。

——猿は死場所が無《の》うて、狂うたか。

と、外様の蒲生氏郷《うじさと》などは、なんの必要性も考えられぬこの大規模な外征に対し、ひそかにそういう悪罵《あくば》を放った。多くの大名の胸中も、同様だったにちがいない。氏郷だけでなくほとんどの大名は封土を得てまだ年数も閲《た》けず、領民はまだなじまず、そのうえ戦乱や検地からうけた傷から民力が回復しきっていない。このうえ莫大《ばくだい》な外征の戦費をどうまかなえというのか。

「奉行どもが、焚《た》きつけるのだ」

というわさが、寧々の耳にも入った。石田三成ら奉行どもが秀吉という老耄《ろうもう》した独裁者に対し、お歎《なげ》きを外征によってお慰めあれ、とすすめたというのである。

まさか、と寧々はおもうが、その実否を判断する材料をもたぬほどに彼女はもう豊臣家の政治むきから離れてしまっている。いまでは三成、長盛、正家といった、近江ことばをつかう才子たちが秀吉をわがものにし、その一群が、豊臣家の家政、人事、天下の仕置といったものをとりおこなっていた。この現状を、寧々のまわりの女官たちの女らしい目からみれば、

——淀殿は当節、ご権勢な。

ということになるであろう。事実、そうであった。いまでは豊臣家の殿中は、近江人によって壟断《ろうだん》されてしまっていた。寧々が目にかけてやっている尾張育ちの諸大名たちは、中央に対してなんの発言権もなくなっている。豊臣家はすでに北ノ政所が中心ではなく、淀殿に移りつつあった。

これが、殿中の好話題になった。寧々が耳にする毎日の話題が、すべてこのこと

につながっていた。近江閥から疎《うと》んじられている諸侯、旗本、それに側室や女官までも、寧々のもとにきて憤懣《ふんまん》や苦情を訴えた。かれらにすれば寧々にすがってゆく以外に、すがるべき支柱をもっていない。

（淀殿が、わるいというわけではない）

この寵姫《ちょうき》の蔭口をいかに多く耳にしても、寧々の目はこの点では冷えていた。淀殿というのはそのきわだった美貌を措《お》いてはどこからみても凡庸な資質の女性であり、単に女であるにすぎない。多少の権勢欲があるかもしれないが、しかしかといって自分から進んで政治勢力をつくりあげることができるほどの能力はない。もしわるいとすれば、彼女のまわりの旧浅井家からきた老女たちであった。この連中が、淀殿が鶴松の「お袋さま」になったのを機に正室の北ノ政所に対抗しようとし、石田三成をはじめとする豊臣家の官僚団に積極的にむすびつき、一方、三成らも淀殿を擁することによって秀吉死後もさらに豊臣家の中核にすわりつづけようとしている。そのいわば側《がわ》の者が淀殿を政治的存在に仕立ててゆこうとしているのにちがいない。寧々はそうみている。寧々からみればわるいのはかれらであった。

寧々は、しんの底からかれらを好まない。

（あの連中は、上様の死後のことをのみ考えているのだ）

とおもっている。もし、想像したくはないが——秀吉が死んだあと、鶴松と淀殿とがこの豊臣家の主座にすわり、三成以下の近江系大名を側近に従えてゆく。自然北ノ政所は後退し、彼女を恃《たの》みとしている、創業の功臣たちは逼塞《ひっそく》してゆかざるをえない。寧々はそれでもかまわないが、尾張出身者たちにとってはこれは夢寐《むび》にもうなされるような未来像であろう。もっとも事が事だけに、みな肚《はら》に蔵しているだけでたれもがこのおそるべき未来について語りはしなかったが。

天正二十（文禄元＝一五九二）年四月、外征軍は朝鮮に上陸し、第一軍は小西行長、第二軍は加藤清正を先鋒として各地の城を抜き、さきをあらそって北上した。

当初は連戦連勝というべきであったが、明の大軍が正面の敵になるにつれ、進攻は渋滞し、各地で部隊が孤立し、ときには苦戦の様相さえみられた。かつ、行長と清正の仲がわるく、たがいに協《たす》けあわぬばかりか事毎《ことごと》にいがみあい、敵もそれを知り、それにつけ入って反攻し、味方の作戦もこのためにしばしば齟齬《そご》をきたした。

この種の事態を調整し、検断する機関として、秀吉は軍監というかれ自身の代官を派遣している。福原直高（堯）、太田一吉などの小大名たちでいずれもが、近江官僚であり、その軍監の元締というべき存在が石田三成であった。三成は常駐せず、戦線を視察しては本国へ帰ってゆく。本国では秀吉のそばにあって現地の軍監からの報告書をまとめて秀吉に言上した。これが軍監団がことごとく石田党であるために、現地からの報告は行長によく、清正にきびしかった。ときには清正の言動を、無頼漢《ぶらいかん》のごとく報告した。

たとえば和平交渉の段階に入ったとき、清正は豊臣姓を下賜《かし》されてもいないのに明使への公文書に「豊臣清正」と署名した、と報告された。また明使に対して、

——小西行長などという者を、足下ら大明人はあれを日本国の武士だと思っているらしい。あれは弓矢のとり方も知らぬ堺《さかい》の町人である。臆病《おくびょう》なのは当然だ。

と言ったという。

これらの清正の言動が在韓軍を混乱させ、敵側のあなどりのもとになっているという旨の軍監報告を、秀吉は竣工《しゅんこう》ほどもない伏見城でうけた。秀吉は激怒し、清正ならさもあろう、すぐ呼びかえせ、と体じゅうでその命令を発した。さっそく急使が朝鮮へ渡り、清正にその旨を伝えた。

清正は自分の軍団を前線にとどめ、かれ自身は侍五十人、足軽三百人という軽兵をひきいて釜山から船に乗り、瀬戸内海を経、海路大坂に直行し、伏見へのぼった。

秀吉は、謁見をゆるさない。北ノ政所に内謁しようかと思ったが、秀吉の勘気《かんき》を蒙っている身ではそれも不可能であった。清正は旅装も解かず、五奉行のひとりの増田長盛の屋敷をたずね、殿中の事情を聴こうとした。

「治部少（三成）めが構えた讒言、わなであろう。いやいやそうにちがいない」

と、清正はよほど激し、長盛がなにも説明せぬうちから顔をふりたてて怒号した。軍監の顔ぶれでそれがわかる。福原直高は三成の親類であり、太田一吉、熊谷直盛、垣見一直、みな三成の口添えで立身してきた党閥の者で当然おのれが党の行長を擁護し、おれをおとし入れようとする。こうとなっては治部少めの素《そ》っ首《くび》を抜き、おれも死ぬ気であるわ、といった。

長盛は両手をあげてなだめ、「治部少はいまや権勢肩をならべる者がない。であるのに、なんということを申される。かれと仲直りをなされ。なさらねば事はただでは済みませぬ。お気をまずしずめられよ。拙者がお取りもちいたすゆえ、あすにでも治部少と会われよ」というと、清正は弓矢八幡大菩薩、とにわかに床をたたいて怒号し、「神仏も照覧あれ、かの者と一生仲直りは致すまじ。拙者は朝鮮八道に討ち入り、数十度戦って、大明を蹴散《けち》らし、寒暑に堪え、ときには糧食も尽きた。それにひきかえ治部少めはぬくぬくと殿中にあり、しかも殿下の寵をたのんでわれわれ槍働きの者をたおそうとする。それほどのきたなきやつばらとわれらは仲直りができるか。できぬ」といった。このためせっかく調停しようとした長盛も手をひかざるをえなくなった。

このとき、文禄五（慶長元＝一五九六）年正月である。そのまま検問もなく清正は閉門を申しつけられ、伏見の自邸で籠《こも》らされた。あと、沙汰《さた》もない。

これより二年半ばかり前に淀殿の腹から秀頼がうまれており、このため豊臣家の後嗣である関白秀次の影はうすれ、秀次は前途の不安を感じて乱行をつづけ、豊臣家はその政権が成立して以来もっとも暗い時期にさしかかっていた。秀吉はすでに往年の奕々《えきえき》とした器局がうせ、人変りしたように老耄し、思うことはすべて秀頼の前途のことのみであり、その設計を三成らに研究させ、三成らもこの豊臣の天下が無事秀頼の手で相続されることのみを考えて秀吉に献言した。やがて秀次は誅殺《ちゅうさつ》されるにいたるが、この清正の帰国のときにはなお秀次は生きている。

じつは、朝鮮の前線で、清正につきおそるべき風評があることを、三成は軍監の報告で知っていた。明のほうでは清正の武勇をおそれ、これを懐柔しようとした。文禄二年五月、清正が蔚山西生浦《うるさんせいせいほ》に駐屯していたとき、明国は将軍劉綎《りゅうてい》をして清正と文通せしめた。そのときの劉綎の使者の口上では、

> 秀吉は日本六十余州を治めているが、英傑といえども寿命の長短は料想することができない。その死後、日本はみだれるであろう。たとえ秀吉が長寿を保つともかれは汝を憎み、その功を憎む。

と申しのべ、劉綎は自筆の手紙を清正にあたえた。それによると、

汝はなかなかの頭漢子《おとこ》でありながら、一介の地方官にすぎない。もし時に乗じて我に事《つか》えれば、われまさに大明の皇帝に奏上して汝を大官に封ずるを保証するであろう。豈《あに》、美とはなさざるか。

とあり、さらに使者に口上させ、暗に明軍と力をあわせて秀吉を反撃することを示唆した。ただし、清正は僧に文章を草させ、これを峻拒《しゅんきょ》している。その文中、「なるほど汝がいうとおり、予は閑人どもから讒《ざん》されている。しかし予は太閤に対する忠良の臣であり、死は怕《おそ》れる者ではない」という言葉をさし添えた。

いずれにせよ、これらのやりとりの概略は三成の手もとにとどいており、この一件についてはさすがの三成も秀吉に言上することをはばかり、手もとで握りつぶした。が、三成は別な観点でこれを処理した。清正がこれ以上朝鮮で大功を樹《た》てることは次代の秀頼にとって不為《ふため》であろう。外征の将軍が武勲をたて征野で強大な勢力を得るばあい、逆にその武力が中央政権を殆《あや》うくするというためしは、遠く唐の玄《げん》宗《そう》皇帝にそむいた安禄山《あんろくざん》の例をもちいずとも、近くに秀吉の例がある。織田家の山陽・山陰征伐の司令官だった秀吉が、その前線で信長の急死を知ったとき兵をかえして讐《あだ》の光秀を討ち、その武力によって織田家の遺児たちを圧倒して豊臣政権をたてた。清正にそれほどの野心や政治力があるとはおもえないが、その武勲はいまのうちに減殺《げんさい》しておく必要があり、それがためにも罪を設けて前線からひきさがらせたといっていい。

が、寧々にはそこまでこの事態の真相はわからないし、わかる必要もなかった。寧々は、単純ながら勁烈に事態の本質を理解していた。寧々のみるところ、三成は寧々を保護者とする尾張系の武将たちを罪におとすことによって寧々の羽翼を断ち、淀殿母子の権勢をもりたててゆこうとしているのであろう。

(それ以外にない)

寧々はそうおもっていたが、清正を救う手だてもなく、日を送った。清正は、半年、閉門の生活を送った。閏七月になって異変がおこった。十二日の夜、伏見鳥羽付近を震源地とする大地震がおこった。空前の烈震といってよく、大地が裂け、天に暈光《うんこう》がひろがり、一瞬のうちに伏見鳥羽、淀川沿岸の諸村がくずれ、城下の男女二千人が圧死した。大名屋敷も例外ではない。閉門中の清正の屋敷も大書院がくずれ落ち、厩《うまや》から火を発した。が、清正はこの修羅場《しゅらば》にあっても秀吉守護のため登城を決意し、家来に支度を命じた。かれ自身、腹巻をつけ、白綾に朱をもって題目をかいた陣羽織を着用し、ひたいには柿色の鉢巻を締め、手に八尺の棒をもった。棒を、倒壊家屋をひきおこす梃《てこ》にするためであった。侍三十人、足軽二百人にも梃をもたせ、余震のつづく大地を蹴りに蹴って伏見城にはせつけた。大手門はすでに倒壊していた。松ノ丸の櫓《やぐら》が崩れ、死骸《しがい》が散乱している。清正は、秀吉をさがさねばならなかった。

——本丸を。

と清正は声をはげまして号令し、石段をつぎつぎに駈けのぼると、本丸廓《くるわ》内の楼閣殿舎もことごとく倒れてしまっており、地に悲鳴をきくのみであった。秀吉もまた圧死したか、と清正は思ったが、さらに大提灯をかざさせてそこここを捜索し、念のため奥に入り、小庭を通り、塀中門《へいちゅうもん》をくぐり、庭園に入ると、築山《つきやま》のこなたの芝生のうえに屏風《びょうぶ》をひきまわし、かつぎをかぶってすわっている上﨟《じょうろう》二十人ばかりの群れを発見した。そばの松の木に大提灯が掛けられており、その火《ほ》あかりのおよぶところに、秀吉がうずくまっているのを、清正は発見した。秀吉は、この変事につけ入る刺客をおそれてか、女の装束をひきかつぎ、そのあでやかな衣《きぬ》のなかに身をかくしていた。往年の秀吉を知る者にとっては別人としか思いようのない姑息《こそく》な姿であった。北ノ政所、松ノ丸殿、孝蔵主もいた。

清正はちかぢかと蹲《つくば》い、孝蔵主にむかって自分は加藤主計頭《かずえのかみ》である、上様をはじめ奉り上々《うえうえ》様方、もしや圧し打たれてましまさば、この梃にて刎《は》ねおこし奉らんと存じ、禁錮《きんこ》の身をかえりみずこのように参上つかまつりましてござりまする、と大

声で申しのべた。すかさず寧々は、

「虎之助」

と声をかけた。いそぎ秀吉の前で褒《ほ》めてしまえば、この場合の清正の行動が是認され、秀吉もそれを承認せざるをえないであろう。ようこそ参った、その参りようのすばやさよ――と寧々はつづけた。いつもいつもながらそなたのけなげさ、その働き、たのもしく思うぞ、と、寧々の声は、清正の声よりも大きかったであろう。清正は平伏した。地はなお揺れている。さらに清正は顔をあげた。作法として視線は孝蔵主にむけ、孝蔵主に話しかける体《てい》をとらねばならない。

清正が、「聞かれよ、孝蔵主」といって大声でのべはじめたのは、自分の朝鮮における冤罪《えんざい》のことであった。朝鮮八道に攻め入り、漢城に一番乗りして王子のご兄弟をとりこにし、ついには間島《おらんかい》まで入り、吉州では十万騎の敵をやぶって大将を討ちとり、その他手をくだいて働きに働いたれども、酬《むく》われたるは讒言しかなく、上様にあっては治部少が言葉のみを信じ給い、お吟味すらなしくだされぬ、といった。寧々は何度もうなずき、清正のことばがおわると、

「戦陣の疲れか、虎之助の顔もずんと痩せてみえる」

と言い、清正のために秀吉の同情を刺激してやった。さらに秀吉にむかい、清正に中門の警固をおおせつけあればいかが、諸将はいまなお見えませぬ、と言うと、

秀吉はかすかにうなずいた。これによって清正の閉門はゆるされたとみるべきであろう。

そのあと寧々はさらに秀吉に説き、清正のために弁護した。秀吉はついに、虎之助はあれさ、ゆるす、といった。寧々はすぐ孝蔵主を中門に走らせ、清正にその旨をしらせてやった。寧々が自分の被保護者のためにしてやった最後のとりなしであったかもしれない。

この年から二年目の初秋、秀吉は伏見城で薨《こう》じた。遺言により、五大老筆頭の徳川家康が代官になり、在韓諸将をひきあげさせた。清正は博多に上陸し、上方にもどると、復讐《ふくしゅう》を宣言した。治部少を討ちはたす、という。

「おれも加えよ」

と、福島正則、黒田長政、浅野幸長、池田輝政ら尾張系の諸将が湧《わ》くようにさわぎ、清正を押したてた。清正とはちがい、かれらにすれば単に三成への小面《こづら》憎さという感情のほかに、秀吉の死を機会に三成とその与党を一掃し、豊臣家の権柄をかれらが考える本筋にもどしたいという政治的衝動がうごいていたであろう。すくなくとも黒田長政、池田輝政、浅野幸長はその種の、つまり政治ぎらいなほうではなかった。

事態は、切迫した。空騒ぎではない。ときに市街戦にさえおよびそうになった。三成、行長のほうも油断せず、屋敷のまわりに逆茂木《さかもぎ》を植え、塀のすみずみに櫓を組みあげて警戒した。この事態を、家康は利用した。

家康は秀吉の死の瞬間から、秀頼の政権を横うばいにうばいとることを思案し、それのみを考え、慎重に、しかし機敏に行動した。家康はこの豊臣家の分裂騒ぎを観察し、徹頭徹尾、尾張系の諸侯団を懐柔してその上に乗ることによってゆくゆく石田党をつぶし、淀殿・秀頼母子を追いのけることをひそかな方針にした。これ以外に天下をとれる方法がないであろう。

「内府（家康）が、蔭にまわってかれらのあとおしをしている」

と、三成は殿中でも仲間たちの前でも手きびしく論難したが、家康は意に介さなかった。まずかれらと縁組みをし、姻戚《いんせき》のつながりを結んでおくべきだと考えた。

しかし、秀吉の遺法がある。秀吉は自分の死後、私党ができることをおそれ、――諸大名縁辺の儀、御意《ぎょい》を得、そのうえでもって申し定むべきこと、という私婚禁止の制法をのこした。家康はそれを無視しようとした。が、かれだけが無視し、家康から嫁をもらう当の諸大名がこれを嫌えばなにもならない。

そうおもい、この一件を北ノ政所に相談することにした。北ノ政所さえ諾《よし》といえば彼女の庇護《ひご》下の、もしくは彼女に親しんできた諸大名は気を軽くして家康と姻戚関係になるであろう。

なににしても家康は、北ノ政所の心をつかみこれをひき寄せておかねば、豊臣家での工作は万事しにくい。家康は、京の阿弥陀《あみだ》峰の秀吉の廟所《びょうしょ》に詣《まい》る、という名目で、その廟をまもって服喪している寧々のもとに何度も足をはこんだ。物も贈った。使者もつかわし、その寂しさをなぐさめた。

このため伏見の殿中で、

——内府とのお仲が、尋常ではないのではないか。

と、艶《つや》めいた臆測が流れたほどであった。

むろん、寧々にはそういう感情はない。が、彼女は秀吉の死後、たれよりも家康の力量と篤実そうな人柄を信頼した。信頼させるべく家康は言動に気をくばりつつ、寧々に接した。寧々はついには、

——豊臣家と秀頼殿の将来を託するには、江戸内府以外にない。恃み入るからには内府を信頼し、むしろ白紙で頼むべきであろう。

とおもうようになっていた。家康ならばわるいようにはすまい。もしこのまま、三成らの党が淀殿母子を擁して豊臣家を壟断するとすればそれこそあやうい。

ここまでは寧々の理性で考えている。寧々の感情が、それを支持した。三成の一派とかれらの擁する淀殿とその老女たちに豊臣家を渡してしまうなどは、寧々の感

情の堪えられるところではない。嫉妬ではなく、秀吉をたすけてこの家をつくりあげたのは寧々であり、かれらではない。かつ、かれら一派が勝てば、寧々が庇護してきた清正らはほろびざるをえない。

寧々は、最悪の事態をさえ覚悟していた。政権が、家康にうつるかもしれぬということを、である。しかし家康ならば、かつて秀吉が織田家の嫡孫秀信を岐阜中納言として保護したように秀頼を、摂津か大和か、そのあたりに城をもたせ、五、六十万石の大名にでもして家系を保護し、祭祀《さいし》を絶やさぬようにしてくれるであろう。むしろそれを条件に売るべきか、とも思っている。この覚悟は寧々にとって飛躍ではなく、近江芦浦の観音寺城の城主であり僧でもある詮舜《せんしゅん》という者が、寧々にささやいたところであり、そのときも寧々は冷静にそれをきくことができた。きくことができたのは、寧々の理性よりも、大坂で淀殿を擁している三成一派への嫌悪がそうさせたともいえるであろう。それらのさまざまな思いもまじえて、寧々は家康を信頼した。

「縁組みのこと、わたしの口からも虎之助たちに申しましょう」

と、寧々は家康の使者にこたえた。すぐそのとおりにした。清正はときに鰥夫《やもめ》であり、都合がよかった。家康は自分の幕僚の水野重忠のむすめを養女とし、あわただしく支度して清正に嫁せしめた。ほぼ同時に、福島正則の嫡子正之に家康は養女をあたえ、蜂須賀《はちすか》家政の子豊雄にも養女をあたえるはなしをすすめた。

　三成らは、「阿弥陀峰の御廟所の土もまだかわかぬというのに、白昼公然とご遺法をやぶっている」として、家康や清正らを糾弾したが、清正らはその糾弾を黙殺した。三成が淀殿母子の権威をかさにきていかにいたけだかになろうとも、清正らにすれば北ノ政所の黙認をとりつけている。この点で心丈夫でもあり、ご遺法違反というやましさも幾分まぬがれえた。しかも、清正は寧々に内謁したとき、

「諸事、内府に従え」

　というひそやかな下知をうけていた。寧々の下知に従うかぎり豊臣家への不忠ではないという習性が、年少のころからかれらの心を法則づけてきている。

　秀吉の死後、二年目にいわゆる関ケ原の争乱がおこった。乱がおこり、三成が謀主となって大坂で旗上げしたとき、寧々は大坂から身をひき、京に移り、三本木で隠棲《いんせい》し、秀吉の菩提《ぼだい》をとむらっていた。このとき寧々は自分の甥《おい》にあたる若狭小浜六万石の城主木下勝俊に対し、帰趨をあやまるな、江戸内府に従え、と訓戒しているし、またその勝俊の実弟で寧々にとっては養子のひとりでもある小早川秀秋には、秀秋がたまたま事の成りゆきで西軍に参加してしまっていることを一応はみとめ、しかし、

「あとで内府へ内応せよ」

とかたく命じている。

清正は九州で東軍活動をし、また関ケ原にあっては、福島正則など寧々の子飼いや縁者がことごとく東軍である家康方につき、手をくだいて働き、ついに秀秋の内応が勝利を決定し、西軍である淀殿の党派を撃摧《げきさい》した。

見方によれば、秀吉の妻妾がそれぞれ十数万の兵をうごかして関ケ原盆地であらそったともいえるであろう。家康はそれに乗じ、天下を得た。

その後が、寧々の余生になる。寧々はこの事態や時勢についてついにいっさいの発言をせず、秀吉の菩提のための仏事に専念し、それ以外の印象をひとに与えなかった。関ケ原ノ役がすみ、数年を経た慶長十（一六〇五）年、

「寺がほしい」

と、家康に孝蔵主をして諮《はか》らせた。家康は大いにその意思を重んじ、自分の重臣である酒井忠世、土井利勝に所管させ、京の東山山麓《さんろく》に壮麗な寺院を造営させた。高台寺がそれである。

彼女は、この高台寺に秀吉の位牌をまつり、かつここに住んだ。家康は自分に天下をもたらしてくれたこの女性を大事にし、河内で一万三千石という化粧料をあたえ、手あつく遇した。寧々が尼僧として暮らすうち、慶長二十（元和元＝一六一五）

年大坂城が落ち、淀殿母子が死んだ。その後なおも彼女の寿命がつづいた。江戸幕府も三代将軍家光の代になった寛永元（一六二四）年九月六日、七十六歳で没している。江戸期の儒者が、

「豊臣家をほろぼすにいたったのは、北ノ政所の才気である」

という意味のことをいったが、多少陰影がちがっている。彼女は、秀吉とともに豊臣家という作品をつくり、秀吉の死とともにみずから刃物をぬいてその根を断ち切った。他人に渡さぬ、という胆気に似たようなものがにおい出ている。

彼女の晩年は風月を楽しみ、その影響下の諸大名の敬慕をうけつつ、悠々とした歳月をおくった。自分の行動についての悔恨といったようなにおいが、どうもみられない。

侍大将の胸毛

湖北の風がつめたい。

大葉孫六は、馬にゆられながら東のほうをながめている。伊吹山の山頂にひかる春の雪が、暁闇《ぎょうあん》のひかりをうけて紫紺に染まっていた。関ケ原ノ役《えき》がおわった翌年、慶長六（一六〇一）年の二月のことである。

めざす江州浅井郡速見ノ里に入ったのは、ひる前であった。孫六は、若党を村はずれの農家に走らせて、その男の所在をきかせた。百姓の老夫が出てきて、

「渡辺勘兵衛様のお屋敷でござりまするか。ここより十丁ばかり東へ行った河毛《かわけ》ノ森という所に庵《いおり》をかまえて侘《わ》びて暮らしておられまする」

百姓は、こちらの身分をさぐるような眼つきで、余計な口をきいた。

「おそれながら、いずれの御家中《ごかちゅう》で渡らせられまするぞ」

「藤堂家のものよ」

「それはお手遅れかもしれませぬな。十日ばかり前も福島家の御家士が訪ねて見え、五日前には池田家のご重役らしいお方が見えられましたが、勘兵衛様はなかなか、諾《うん》とは申されぬご様子でござりましたな」

「これ。そちは勘兵衛どののご様子を、よく存じておるな」

「われらが住む江州浅井は、古来幾多の名将を出した土地でございまするが、勘兵衛様ほどの器量のお方は類がないと申すことじゃ。一郷の者は誇りにおもい、きょう勘兵衛様はなにを食うたかということまで知っておりますわい」

「ほう、勘兵衛どのは、なにが好物か」

「はて、それは申せませぬ」

老夫は、意味ありげな笑いじわを作って納屋のかげへ消えた。

河毛ノ森というのは、すぐわかった。森に入って半丁もゆくと、樹林のなかに小川が流れ、その土橋のたもとに古槍がひと筋、穂先を天にむけてつき刺してあった。穂先から木のフダがぶらさがっている。

「渡辺勘兵衛　源《みなもとのさとる》了寓居」

右肩のひどくいかった文字で、書き手の狷介《かたいじ》な性格をよくあらわしていた。

大葉孫六は、読みくだしてから、難物だな、と微笑した。追い帰されるかもしれぬ、とも思った。

土橋を渡ると、足音に小川の小魚がおどろいて四方に散った。ときどき野鳥の声がするほか、あたりは物音ひとつない。

庵に着いて案内を乞うと、井戸で水を汲《く》んでいた少女が、ツトつるべをとめて、こちらをみた。小柄で、色が浅黒い。大きな眼が白くひかり、その眼が森の小動物のように猜疑《さいぎ》ぶかくまたたいていた。

孫六は自分の名を告げ、

「勘兵衛殿は、ご在宅かな」

女はだまってうなずくと、なかに入り、やがて孫六は招《しょう》じ入れられた。

二時間《いつこく》ほど待たされ、森が昏《くら》くなるころになってから、孫六は、この世評に高い渡辺勘兵衛という男をはじめてみた。ろくに孫六の顔をみず、不機嫌そうに、

「この先の川へ釣りに行っておった。貴殿が土橋を渡られるお姿を見ておったが、せっかく食いつきはじめたばかりゆえ、惜しゅうて声をかけなんだ」

「結構でございます。獲物はございましたか」

「いずれ、夕餉《ゆうげ》の膳《ぜん》で、お口に参らせる」

「釣れたところをみると、つり針は、やはり曲っていたとみえまするな」

「なに？」

はじめ孫六の冗談が通じない様子だったが、やがて気づいたのか、碁石をならべたような歯をむきだし、声もなく笑った。孫六は古代中国の太公望《たいこうぼう》の故事を引いたのだ。太公望は名を呂 尚《りよしよう》といい、山東省の人で、老いて釣りを楽しんでいたところ、周王が狩猟に出てその姿を見、男惚れをして周帝国の宰相にした。このとき太公望が用いていたつり針は直線のもので、魚が目的ではなかった。魚よりも天下を

釣りあげることが、かれの目的だった、という故事だ。

「しかしおれは」と勘兵衛は相変らず不機嫌そうな声で、

「唐土《もろこし》の老人のような野放図な風流心はないぞ。魚も釣り、天下も釣る」

「むろんそうでございましょう。渡辺殿のごときを天下の諸侯がすてておきませぬ。さて、そのことでござるが」

孫六は、主人藤堂和泉守《いずみのかみ》高虎から命じられている用件をきりだした。

「ご存じのごとく――」

ご存じとは、孫六の主家の藤堂家が関ケ原ノ役の勲功でわずか八万石の小大名から一足飛びに伊予半国二十万石の大身代《だいしんだい》に膨張したことだ。身代がふくれあがってから、わずか数カ月しかたっていない。

まず、家臣の数を急速にふやさねばならなかった。もとの三倍以上は必要だし、また八万石と二十万石では、いざ軍陣のときの陣の立て方、戦さの仕方もちがってくる。二十万石の大軍を指揮できるだけの軍師、侍大将が必要なのである。そのために高虎は、江州浅井郡速見に隠棲《いんせい》する渡辺勘兵衛了に白羽の矢をたてたのである。

「殿は、まるで惚れたおなごを追い求められるがごとく、勘兵衛どのに大そうなご執着《しゅうじゃく》でござる。ぜひ、当家に奉公くだされたい」

「これは異なことをきく。軍陣の采配《さいはい》を振る者がないと申されるが、藤堂和泉守高虎といえば、そこらのなま白い青大名ではない。槍一筋からたたきあげた戦国生き残りの大将ではないか」

「いやいや、わが主人の悪口を申すわけではござりませぬが、主人和泉守は器量人におわすとは申せ、戦さの仕切りの上手なお方ではござりませぬ」

「いかさま」と勘兵衛は冷笑した。

「世渡りは上手な御仁じゃが、戦さは下手なお人じゃ。——妙な男よ」

藤堂高虎については、勘兵衛のいったことに相違はない。

高虎はもともと近江《おうみ》犬上郡藤堂村の地侍の出で、弱年のころ大志をいだき、槍をかつぎ具足《ぐそく》をかかえて故郷を出た。いわば「渡り武者」あがりの男である。

最初、近江伊香《いか》郡阿閉村の小豪族阿閉淡路守長之の郎従になったが、ほどなく見切りをつけて磯野丹波守秀家の屋敷に身をよせた。ここも半年ほどで退散した。磯野秀家は同国犬上郡沢山のたかが知れた地侍で、主人と頼んで出世するには小さすぎたのである。

のち、織田家の盛時には信長の甥《おい》七兵衛尉信澄に仕えて丹波籾井《もみい》城攻めに功をたてたが、織田家が没落し秀吉の世になると、早々に退去してツテを求め秀吉の弟小一郎秀長（のちの大和大納言）に禄三百石で仕えた。その点が、彼のただの一騎駈だけの武者とちがう点だった。槍先の功名よりも、その時その時の権門に近づくことによって出世をしようと心掛けた男だった。

「妙な男よ」

と勘兵衛がいったのは、そこだった。勘兵衛のような戦国武者の典型のような男からいうと、高虎はあまり愉快でない種類の男に相違なかった。

その後、高虎は秀吉に仕え、累進して八万石の大名になった。

ここに意外なことがある。かれの禄高は低すぎた。高虎は野戦攻城の実歴もふるく、戦場では人並の勇者だったし、また秀吉の天下取りの事業にはじめから付き従ってきたその経歴の割りには、おなじ譜代《ふだい》の加藤清正や福島正則、小西行長、石田三成、宇喜多秀家などの禄高とくらべて、八万石は安すぎるようであった。

おそらく秀吉は、この男に大軍を指揮できるほどの器量がないことを早くから見ぬいていたからであろう。

「戦さは下手なお人じゃな」

と勘兵衛がいったのは、そのへんの消息らしい。

秀吉が高虎に高禄を与えなかったひとつは、この男の油断ならぬ性格を見ぬいていたからでもあったろう。事実、高虎は秀吉が死病の床につくや、早速徳川家康に接近した。頼まれもせぬのに伏見の家康の屋敷を警護したり、私用を弁じたりして、家康の家来同然になり、また同僚の大名で豊臣色の濃い者の動向をしらべては家康に諜報《ちょうほう》したりした。

ところで、秀吉が伏見城で死んでから、家康はにわかに伏見城下にある諸大名の屋敷を歴訪したり大名相互の縁組をとりもったりした。これは秀吉の遺法に反している。遺法は「大名相互の私交を禁じ」ていた。諸大老、諸奉行は大坂城で密議し、「内府（家康）政道に私心あるの十三条」をならべて問責することになった。

高虎は早速、この事実を家康に密告し、「場合によっては、大坂の大老、奉行は、兵を催して御当家を討つかも知れませぬ。しかし某《それがし》は、自分の家の存亡を御当家と共につかまつる所存でござれば、ずいぶんとお気持安くお指図下されませ」

当時高虎はむろん豊臣家の禄を食《は》んでいる。それが、同僚の家康に臣従を誓ったのだ。只者のまねられるところではなかった。

「世渡りは上手じゃが。——」

と勘兵衛がいったのはここである。

関ケ原ノ役で徳川家が天下をにぎると同時に、秀吉時代にはさほど優遇されていなかった高虎が、一躍三倍の大身に出世したのはむりからぬことであった。

出世にともない大大名としての軍陣を軍立《いくさだ》てする侍大将が必要となった。孫六の使者としての使命は、それである。

孫六が伊予今治《いまばり》を出発するとき、高虎は、くどいほど注意をした。

「勘兵衛はまれにみる戦さ上手じゃが、あれの取り柄は戦さだけじゃ。人間にカドがあり、癖も多く、背骨がまがり、はらわたのねじれた男じゃ。普通なら、あのような者を家中に加えたくはないのじゃが、なにぶん、藤堂の家中には、武者はいても大将の采配をにぎるだけの器量の士はおらぬ。合戦のとき、見ぐるしい駈け引きをするのも業腹《ごうはら》ゆえ、ぜひともかかえねばならぬ。禄は、そちがさまざまに駈け引きして二万石までならばよい」

二万石といえば大名並といえるほどの大禄である。高虎は「これほど呉《く》れてやればよろこんで来るであろう」といい添えた。

しかし孫六が、勘兵衛と面とむかって会ってみると、想像した以上に難物だった。勘兵衛の歯をみただけで、すくむ思いがした。

歯の一枚々々が、異様に大きく、ぎらりと並んでいるところはケモノのような感じがした。身のたけは六尺ちかくあり、手足が大きく、アゴが張り、鼻の穴は上をむいて、親指が楽に入るような大きさだった。絵で見る鬼のような男である。孫六はまずその骨柄《こつがら》に気をのまれて思うような口がきけなかった。やっと用件を説明しおわり、最後に、

「ぜひ、われらが主人のためにお働きくださるように」

と頼んだ。ところが勘兵衛は聞えたのか聞えないのか、そっぽをむいたまま、台所にむかって、しきりと女の名前を呼んでいた。

「市弥《いちや》、市弥」

はじめは酌《しゃく》でもさせるつもりかと思った。しかし、市弥というさきほどの井戸端の女が入ってきたときは、孫六はあやうく席を立って逃げかけた。勘兵衛がいきなり女の腕をつかみ、膝《ひざ》もとへ引き倒したのである。だけではなく、孫六の前で平然と女の下腹をなではじめた。やがて、女の小袖《こそで》のスソのあわせ目から手を入れた。女は男のそんな仕草に馴《な》れているらしく、眼をつぶり、ひざをわずかに割ったまま勘兵衛の胸にもたれている。孫六は、逃げるシオをうしなった。やがて勘兵衛は大真面目《まじめ》な顔で、

「客人《まれびと》にはご無礼じゃが、こうして飲まねば酒がまずい」

「拙者、中座つかまつりまする」

「ああ、そうして呉りゃるか。幸い月があるゆえ足もとは明るい。庭でもそぞろ歩きをしていて貰《もら》えれば、そのうち、この者とのことも済む」

孫六はやむなく庭へ出るために障子をあけ、室外へ出て一たんすわった。障子を閉めようとしたのである。フト部屋の中を見て、孫六は肝《きも》をつぶした。すでに市弥という女は、勘兵衛の体の下に組みしかれ、左足がつけ根まで露《あら》わにみえていた。

（おどろいた御仁じゃな）

庭にとびおりてから、あの男はめしを食うように女を用いている、と思った。めしも女も、勘兵衛にとってはおなじもので、腹がへればめしをくうように情がおこれば女を抱き、客の孫六など虫ケラとも思っていない様子だった。かといって、女に痴《し》れた男でもないのである。軍陣に立たせれば万余の軍勢を一糸みだれず進退させる水ぎわだった器量をもっているし、それに、この男は陣中では兵に強姦をゆるさないので有名だった。かつて増田《まし た》長盛の侍大将であったとき、農婦を犯した三人の雑兵《ぞうひよう》を村人の前にひきずり出し、自ら太刀をとって首をはねた話が残っている。それからみても、女色についてこの男なりのきびしい節度があるらしいのだが、その節度は常人のそれとは、ひどくかけはなれているようだった。

孫六は、杉の梢のうえの月をみながら、思わずながい溜息《ためいき》が出た。

（難物じゃな）

しかし、べつの新しい感慨もわいた。戦さに強く女にも強いというのは、生き物としての男の典型ではないか。渡辺勘兵衛が悪いとすれば、それは男であり過ぎるというだけのことであった。

その夜、ついに勘兵衛は、藤堂家に仕官するともせぬとも返答せず、酔いくらって寝入ってしまった。しかし孫六は役目を果たすまでは、この屋敷を去らないつもりでいるから、

「市弥どの、お願いじゃ。某のために土間に寝ワラでも敷いてくださらぬか」

ところが、市弥は無言のまま首をふり先に廊下に出、別室の杉戸をあけて招じ入れてくれた。すでにそこに臥床《ふしど》の支度がしてあった。孫六の供の者には、すでに屋敷うちの別屋に部屋を与え、酒食も出してあるという。

孫六は、勘兵衛のような男に意外にこまやかな心映えがあることを知って、感謝するよりも、むしろおどろいた。臥床に入ると、さらに新しい驚きが待っていた。市弥が衣桁《いこう》のかげでしばらく身動きしている気配だったが、やがて、ほっと燭台《しょくだい》の灯を吹き消し、さもそれが当然であるかのような自然なしぐさで、孫六の横に身を入れてきたのである。

（こ、これはどうじゃ）

飛びおきようとしたが、市弥が孫六の小指をつかんではなさず、静かな声でいった。

「殿様から、客人様のお伽《とぎ》をせよと言いつけられておりまする」

「そ、それでは拙者が迷惑する」

「ご迷惑ならば、お抱きあそばしますな。おそばで寝《やす》ませていただくだけでよろしゅうございます」

「左様か。――」

勘兵衛にすれば、酒食を共にした以上、女も共にしようというのは、ごく当然な好意らしい。

「では寝入るまで、物語りなどつかまつろう。拙者は勘兵衛どのについて、いろいろと知りたい。差しつかえないかぎり、はなしを聞かせて賜《た》もらぬか」

市弥は無口な女だが、孫六の問いには、みじかいふくらみのある言葉で、一つ一つ答えてくれた。

それによると、市弥はこの近郷の豪農のむすめで、勘兵衛の身のまわりの世話をするためにひと月ほど前に「あがった」という。

それ以前は別の家から娘があがっていたし、ときには後家どのの場合もあった。ほとんど、数カ月ごとに女がかわるようだった。どの女に対しても勘兵衛は、

「市弥」

とよんだ。いちいち名を覚えるのが面倒だったからだろう。市弥とは勘兵衛のむかしの寵童《ちょうどう》の名のようであった。

ただ、疑問なのは、この郷の村々から、なぜつぎつぎとそのように女があがって

くるのか、ということだった。孫六は、それとなく、

「もし女を差しあげねば、勘兵衛どのが村に乱暴をなさるのであろうか」

「まあ」

と、女ははじめて声をたててわらった。

「それでは、勘兵衛様がまるで荒神《こうじん》様のようではございませぬか。わたしどもは、人身御供《ひとみごくう》ということになりまする。でも、左様なことではありませぬ」

一郷の者は、勘兵衛を敬慕している。勘兵衛の好物がおなごというので、戸ごとに順をきめて自発的にさしだしているのだ、という。

(――色は鄙《いなか》というが)

よほど色深い里なのだ。

「しかし、子種が宿《と》まるとどうするのか」

「なにをおおせられます。勘兵衛様のお子種がとまれば、これほどうれしいことはありませぬ。その子はいずれ勘兵衛様の手もとで育てられて、しかるべき大身の侍になりましょう」

この郷の百姓たちは、勘兵衛がやがて諸侯に迎えられ、以前のような大身代の武士として出世をするものとみていた。そのときは、その子と母、そして母の一族がどれほど出世するか、他の多くの事例が物語っている。郷民たちは、単に無邪気に

勘兵衛の好物を差し出しているのではなく、かれらは勘兵衛の出世に期待し、その期待には抜けめのない計算をたてていた。ところが勘兵衛に子種がないのか、どの女にもやどったことがない。

市弥は、こうもいった。

「あのようなお骨柄でございますが、おなごにはやさしいおひとでございます。人目がなければ、水汲みからつくろい物の針仕事まで手伝うてくだされます」

これも、孫六が抱いている勘兵衛像とちがった事実だった。女が好きなだけに、そのか弱さをあわれむやさしさも人一倍つよいのであろうか。

翌朝、屋敷のまわりを駈けまわる馬蹄《ばてい》のひびきで目を覚まされた。あわててはねおきると、横に市弥はすでにいなかった。孫六は、まだ市弥のにおいと体温の残っている床の上をなでさすりながら、

（心憎いおなごであったな）

とおもった。昨夜、物語がすむと、市弥は、ごく自然なしぐさで孫六の体に触れてきたのである。ふしぎなほどそれはみだらな印象をうけなかった。それだけに孫六はむげにこばみもできず、触れられるままにじっとしていると、やがて孫六のほうが自制できなくなり、つい市弥を抱き、それに応じて市弥も、まとうているものを物静かな手つきで解いた。そのかすかな衣ずれの音が、いまも耳の底にのこって

いる。

——孫六は、朝の陽《ひ》のあふれた庭へ出た。

「おう、お目覚めか」

勘兵衛は、馬上で身をのけぞらせて声をかけ、すぐ背をむけると、森の木立の中に疾風のように駈けこみ、樹の間を旋回しながら槍をしごき、刺突《しとつ》し、手綱《たづな》をひきしぼって馬を反転させ、さらに槍をつかった。勘兵衛はこれを毎朝の日課にしているようであった。さすがに惚れぼれするほどのみごとな武者わざだった。

「槍で千石、采配で万石」といわれた男である。あれだけ馬を駈けさせながら、馬上、息もみださず、

「大葉どの。お手前が申される条、ゆうべ寝ながら考えてみたぞ。が、考えが熟さなんだ。したがっていまは即答できかねる。いずれ、わしは旅に出るが」

「あ、それはどこへ参られまする」

「気鬱《きうつ》晴らしの旅ゆえ、行くさきはわからぬよ。旅のついでに、伊予今治の藤堂家の城下に立ちよる。そのとき再会して返答しよう」

「それは、いつごろになりまするや」

「あはは、それがわかってたまるか。わしのことゆえ明日発《た》つかもしれぬし、十年先のことになるかもしれぬ」

「しかし」

と手をあげたときには、渡辺勘兵衛の馬は地を一蹶《いっけつ》して森の中へ消えていた。

ふと気づくと、孫六のうしろにいつのまにか市弥が立っていた。

「あのご様子では、伊吹山まで遠乗りされるおつもりでございましょう。伊吹へ行かれたならば、山中をどことなく駈けめぐって五日も十日もお帰りになりませぬ」

孫六はやむなく帰国するしか仕方がなかった。


伊予今治にもどると、いったん屋敷に入って衣服をあらため、その足で登城した。高虎はよほど待ちかねていたらしく、せきこんで「上首尾か」ときいた。

「いや」

と、孫六が事情を話すと、高虎はみるみる落胆し、

「手をつかねておれば他家にとられるかもしれぬ。あの者は、おなごが好きじゃと申したな。すぐ、京大坂でおなごを求め十人も贈るように手配りせよ」

高虎は、まるで自分が女衒《ぜげん》になったような熱意を示した。ちょうどその日から十日後に江戸へ発向する予定だったから、上方《かみがた》で集めさせた女を、わざわざ伊勢桑名の津につれて来させ、そこで高虎みずからが女どもを検分した。

むろん、いずれも遊女あがりである。小松、梅ノ枝、時国、維任《これとう》、月ノ内侍《ないし》という名がついていた。しかし勘兵衛の好みにあわせて一人のこらず「市弥」という名にし、藤堂家御用の商人備前屋某に宰領させて近江の速見へ送りとどけた。

市弥と名づけられた十人の女たちは、口々に戯《ざ》れごとを喋《しゃべ》りかわしながら騒がしく旅だって行ったが、さて速見ノ里についたところ、即日、諸方に逃げ散ってしまった。

「おどろきましたな。私めは、この年になるまで、あのようなおそろしい目をみたことがありませぬ」

と、ほうほうのていで伊予に逃げかえった備前屋は、孫六に訴えた。

備前屋のいうところでは、勘兵衛は、八つ手のような掌で女どもの首すじをおさえ、一人のこらず頭髪と恥毛を剃《そ》り落して放逐したというのである。

「それはむごい」

「まったく」

「なぜそのようなことをしたのであろうか」

「それについては勘兵衛様は、鬼のような形相《ぎょうそう》でこう申されました。男の主取りをきめるのに、おなごを仲立ちさせるとは、泉州（高虎）のやりそうなことじゃ。勘兵衛を見そこのうたか。——」

「そう申したか」

「おなごなどは藤堂から恵まれずとも、近江一郷で勘兵衛になびくおなごは、手にあまるほどおるわ、とも申されました」

「なるほど」

（いよいよ難物じゃな）

　数カ月たった。

　その間も、藤堂家から二度にわたって二人の使者が勘兵衛の返事を催促するために伊予を発っているのだが、最初の使者は勘兵衛に会えず、二度目の使者は、堺《さかい》に上陸して大坂へ入る途上、夜盗に襲われて惨死した。

「死んだ？」

　孫六は、ひとごととも思えず、ひやりとした。関ケ原ノ役後、天下は徳川のものになったとはいえ、摂津、河内、和泉だけは、なお秀吉の遺児秀頼の所領になっている。いわば、この三国は江戸政権の治外法権地帯だったから、諸国で犯罪をおかした者が、追捕《ついぶ》をのがれて逃げこんでくる事例が多く、治安がむしろ戦国期よりも悪くなっていた。

　そういう犠牲まで出して勘兵衛に執着する必要が果たしてあるだろうかという意見が、国許《くにもと》の重臣の間で出はじめていた。事実、伊予今治城の留守をあずかる藤堂仁右衛門は、孫六をよんで顔をしかめた。

「殿はいたくご執心のようじゃが、勘兵衛については、もはやあきらめたほうがよいのではないか。天下に力ある牢人《ろうにん》が多い。べつに勘兵衛でなければ、御当家の戦さができぬというわけでもあるまい」

「ほかに、めぼしき牢人としては、たれがおりましょう」

「たとえば」

と、仁右衛門は、後藤又兵衛基次の名を持ちだした。仁右衛門は、かつて筑前福岡五十二万石の黒田家で一万六千石を食《は》んでいたこの男に、先日伊勢大神宮にほどちかい多気《たけ》の明星野《みょうじょうの》という所で偶然、出会ったという。又兵衛のそのときの風体《ふうてい》は、荒菰《あらごも》で荷をつつんで背負い、見るかげもない衣服をまとって乞食同然のすがただった。同然どころか、又兵衛は伊勢参宮の道中の者に食物の合力《ごうりき》を乞うていたというのである。仁右衛門は又兵衛とは旧知の間がらだった。その姿におどろき、とりあえず持ちあわせの金銀を合力し、住まいをきいたところ、京の四条河原であるという。この高名のかつての勇士は、いまは乞食小屋に住んでいるのである。おちぶれた境遇をあわれみ、

「早速、江戸の殿へ急使を出したところ、又兵衛ならば召し抱えてもよいというお返事であった。いま、京の又兵衛のもとへ、使いを出しているところじゃ。もし又

兵衛が当家へ来てくれるならば、かつて黒田如水軒が日本一の戦さ上手といった男だけに、勘兵衛などが来るよりも、藤堂家の軍陣は安泰ぞ」

ところが、ほどなく京からの使者がもどってきて、又兵衛の返事を伝えた。

「せっかくの御芳志はかたじけないが」

と又兵衛はいったらしい。

「又兵衛は藤堂家の御家風にあいませぬ」

とにべもなくことわった。孫六は又兵衛の気持がわかるような気がした。さすがに又兵衛は明らさまにいわなかったが、藤堂家は武功一筋で大大名になった家ではなく、高虎の游泳の才覚でかせぎだした俄《にわ》か分限《ぶげん》であることが、又兵衛のような武辺一途《いちず》の男には気に入らなかったのであろう。藤堂家は、いわば乞食にさえも見捨てられたようなものであった。国許の重臣たちは狼狽《ろうばい》した。仁右衛門はわざわざ孫六の屋敷に足をはこんで、

「かかるうえは、もはや勘兵衛しかない。殿は、いたく返事を急《せ》かれておる。もう一度近江へ行ってくれまいか」

孫六にも、主人高虎のあせりがわかった。世は徳川家の手に帰したとはいえ、大坂にはなお、豊臣右大臣家が、六十五万石の封地《ほうち》と、秀吉の残したおびただしい金銀と、海内《かいだい》随一といわれる名城を擁して現存している。いつまでも新旧の政権が併

存していることは世の成りゆきがゆるすまい。しかも、京の公卿《くげ》や叡山《えいざん》の座主《ざす》、堺の豪商たちは、秀吉在世当時と同様、大坂城に伺候して秀頼の機嫌を奉伺している。秀頼の補佐の老臣たちも万一のことを考え、しきりと牢人を召しかかえている様子だったから、いずれ、江戸、大坂が手切れになることは必至の情勢だった。

孫六は、家人に旅の支度を命じながら、こんどこそは勘兵衛の腰に食らいついてでも伊予今治城に連れてこねばならぬとひそかに心をきめていた。

「あの」と妻の由紀がいった。

夫の孫六が、勘兵衛という男に夢中になっていることに、ひどく興味をもったらしいのである。

「渡辺勘兵衛様とは、それほどの武辺なお方でございますか」

「あれは、了《さとる》という名だ」

と孫六がいった。

「渡辺の姓で、名前が一字の者は、たいてい、そのかみ、大江山の鬼を退治した源ノ頼光の四天王のひとり渡辺ノ綱の子孫ということになっている」

渡辺ノ綱は、嵯峨源氏の直系で、摂津国西成《にしなり》郡渡辺の地を領してからその地名を名乗った。屈強の者で、羅生門の鬼の片腕を斬《き》った伝説などで名高い男だが、その子孫は渡辺党という武士団を組み、族党は諸国にも散ってそれぞれ栄え、数百年をへたこんにちでさえ、どの大名の家中にも、その祖が摂津渡辺党から出たと自慢する一字名前の武士が数人はいる。

「いわば、武家の大姓だ。しかし数ある渡辺姓の侍のなかでも勘兵衛了は、まるで往昔《おうじやく》の綱の再来というてよいな」

勘兵衛は弱年のころ、藤堂高虎も一時仕えた近江の阿閉淡路守に仕え、あるときの合戦で一日に首六つ獲った。それが十七歳のときだったというから、なるほど遠祖渡辺ノ綱に恥じぬ男だったにちがいない。十九歳のときには、すでに阿閉家の七人の母衣《ほろ》武者のひとりになっていた。母衣というのは、布に骨を入れてまるくふくらませた風船のようなもので、矢防ぎと装飾をかねていた。勘兵衛の母衣は十幅《とはば》一丈あり、鶴の絵がえがかれて、それを鎧《よろい》の背に負って戦場を駈けまわる姿は、早くから世に喧伝《けんでん》されていた。

のち、阿閉家を去り、秀吉取り立ての大名で当時近江水口《みなくち》城の城主であった中村式部少輔一氏《かずうじ》に奉公した。

天正十八（一五九〇）年、豊臣秀吉が天下の諸侯を総動員して小田原の北条氏を攻めた。その支城である山中城を攻囲したとき、勘兵衛は一氏に、

「きょうの城攻めは、まるで日本国の馬揃《うまぞろ》え（観兵式）のごときものでござれば、いわば殿にとっては味方も敵でござるぞ」

「ほうほう、どういう理《ことわり》じゃ」

「功名あらそいの敵じゃと申すのじゃ。きょうが殿の武名の正念場《しょうねんば》でござる。味方の軍勢を蹴散《けち》らし踏み殺してでも一番に駈けなされよ」

「はて、この味方の大軍のなかでそのようなことができるか」

「勘兵衛におまかせあれ」

渡辺勘兵衛は、一氏を抱くようにして馬を駈けさせ、味方を追いのけ、敵を突きふせ、遮二無二《しゃにむに》城にとりかかった。しかし一氏はついに城壁のそばまできて息がつづかず、

「勘兵衛、たのむ、ひと休みさせよ」

「さればそこで休んでいなされ」

と、そばに居た一氏の旗奉行成合《なりあい》平左衛門という男のエリがみをつかみ、おどろく平左衛門を矢弾の中をひきずりながら、折りから焼け落ちた城門をくぐって隅矢《すみや》倉《ぐら》にたどりつき、一氏の馬印《うまじるし》をおしたてさせ、大音で、

「中村式部少輔、一番乗り」

とよばわった。

この手柄は、全軍の目をみはらせた。なにしろ一手の大将がみずから一番乗りしたのだから、秀吉は一氏の武功におどろき、かつ感賞して、自分の着ていた錦《にしき》の羽

織をぬいで一氏にあたえた。

　一氏は自陣にもどってから、

「きょうのは、そちの功名じゃ。いかに主人とはいえ、家来の功を奪うのは心苦しい。この羽織は、そちが拝領せよ」

　勘兵衛はそっぽをむいた。かれにすれば、一氏に手柄をたてさせるためにしたことなのに、なぜ一氏がそれを素直にうけとらないのかと、腹がたったのである。しかし、一氏にすれば、勘兵衛のひねくれた感情などわからない。まるで頼むように、

「ならば、せめて片袖なりとも拝領してくれぬか」

「いらぬ。戦さ働きは某の道楽でござる。べつに功名のシルシを頂戴《ちょうだい》せずともよろしゅうござりまするわ」

「しかしそれでは、わしが心憂い」

「それほど片袖を呉れてやりたいと申されるなら、犬にでも呉れてやりなされ。わしは一旦頂戴せぬといえば、山が裂けても頂戴しませせぬぞ」

　一氏は温厚な男だが、さすがに不快な顔をした。

（妙な男よ。――）

　このときの軍功で、一氏はほどなく近江水口の城主から、駿河《するが》十二万石の領主に

出世した。しかし勘兵衛は、すでに主家を退転してしまっていた。一氏は慨嘆して、

「惜しい男ではあるが、わしの器量ではとてもあの癖馬の手綱はとれぬ」

牢人しても、稀代《きたい》の戦さ上手といわれた勘兵衛を捨てておく諸侯はなかった。たちまち数家から仕官の勧誘があったが、勘兵衛は、どこが気に入ったのか、そのうちの最もおだやかな男である増田長盛に仕えた。

長盛は、一氏が駿河へ移封《いほう》したあとの近江水口の領主になった。勘兵衛にすれば主はかわっても、仕える城はかわらない。

なぜ長盛を主人にえらんだかについては、勘兵衛は朋輩《ほうばい》にもらしたことがある。

「わしはこのとおりの他国者には通じぬきつい近江言葉でな。言葉の通じぬ主人に仕える気はせぬ」

増田右衛門尉長盛は、近江国浅井郡の出身だから勘兵衛の言葉は十分に通じる。

そういえば、勘兵衛が弱年のころから仕えてきた大名は、近江者ばかりだった。最初に仕えた阿閉氏は、伊香郡の産であった。次の中村氏は甲賀郡の出である。他国出身の大名を毛ぎらいするのは、やはり勘兵衛の編狭《へんきょう》のせいであろうか。

ただ、近江出身の大名には、どの男にも似かよった所があった。近江坂田郡石田村の産であった石田三成や同国犬上郡藤堂村出身である藤堂高虎をみてもわかるよ

うに、能吏型か、商人型が多く、野戦攻城の武将型は皆無といってよかった。

長盛は、その極端なものだった。色が白く骨組みが華奢《きゃしゃ》で、朋輩の大名にさえ物腰が低く、野戦の武功はめだたなかったが、計数にあかるい。秀吉にその経理の才を愛され、五奉行のひとりに抜擢《ばってき》されて、朝鮮の陣のときも兵戦には参加しなかったが、肥前名護屋の本営で、もっぱら兵站《へいたん》の事務をあつかった。その功により、のち大和郡山二十万石に移封され、勘兵衛も水口から郡山に移った。

この豊臣家の理財家は、無骨な勘兵衛をひどく愛していた。むしろ、勘兵衛を師父のようにあつかい、事あるごとに、

「当家の軍陣のことは、すべてそちにまかせるぞ」

といった。

このおだやかで吏務に長《た》けた男は、大坂の城中でも他の大名に勘兵衛の自慢をし、「郡山城の重さよりも勘兵衛の目方のほうが重い」といったりした。加藤清正、福島正則など武断派の大名は、石田、増田、長束《なつか》といった文吏型の大名を軽侮していた。しかし郡山の増田家に対しては、清正も、

「郡山にあの男がいるかぎり、右衛門尉（長盛）はあなどれぬ」

といった。おなじ文吏派の石田三成が猛勇できこえた島左近を高禄でかかえ、長盛が勘兵衛をかかえているのは、ひとつは武断派大名への喧伝と示威の意味があっ

たのだろう。

勘兵衛にとっても増田家は居心地がよかったらしく、長盛にだけはさからわなかった。数年の歳月がすぎた。慶長五年九月十五日の関ケ原ノ役さえなければ、勘兵衛もおそらくこのまま郡山で老い朽ちていたかもしれない。

関ケ原ノ役では、増田家は形式上石田方に与《くみ》していたが、この忠実な官吏は、戦陣には参加せず、依然として職場の大坂城に身を置いて奉行としての吏務をとっており、かれの軍事力である二十万石八千の兵は天下分け目の合戦をよそに、大和郡山城でねむっていた。

この日、美濃関ケ原で午前七時からはじまった合戦は、午後二時半には終結し、西軍は潰走した。この午後二時をもって、天下は徳川家の所有に帰した。

長盛はもはや大坂城で吏務をとりつづけることができなくなり、身一つで高野山にのがれた。合戦もせず、家来の始末もつけずにいきなり坊主になってしまった長盛は、やはり武将ではなく吏僚にすぎなかった。

大将の長盛が家来にも告げずに出家遁世《しゅっけとんせい》したことをきいた郡山城の家来は当然動揺し、城を捨てて逃げだす者が多かった。

「御大将がわれらを捨てたのに、われらはたれのために働くのか」

と露骨にいう者があり、また居残った者のうち悪質な二百人が結束して家老橋与兵衛、塩屋徳順《えんやとくじゅん》にせまり、城内の金蔵をひらいて金銀を分配せよ、とせまった。

「金を呉れねば、われらは出奔しようぞ」

　橋、塩屋の両人は当惑して、

「金蔵の鍵《かぎ》は、三ノ家老の勘兵衛が殿からあずかっている。勘兵衛がもとへゆけ」

と逃げた。その名をきいたとき、一同は一瞬ひるんだが、やがて騎虎《きこ》の勢いで三ノ郭《くるわ》へ押しよせた。

　勘兵衛は、このとき手兵一千をひきいて三ノ郭の持口に詰めていた。兵をよく統御して、勘兵衛のもとからは一人の逃亡兵もなく、軍規の混乱した城のなかで、この郭だけはまるで別国の観があった。このときのかれの卓抜した統率力が、のちにかれの名を世に高からしめた。

　勘兵衛は、味方の二百人が郭に押しよせてくるときいて、

「おれは武運がない。関ケ原にも出陣出来いで、金亡者が相手か」

　槍を手にすると、ただ一騎、馬をあおって三ノ郭からかけおり、二百人があつまっている本丸下の広場に突き入った。

「者ども聞け。殿はいま高野におわす。この城は殿のものでうぬらの物ではないわ。殿のおおせがなければ、銀一粒も出すことはできぬ。かつ、城を墓所とさだめて御当家に奉公したはずの汝《うぬ》らに、なぜ金銀が要《い》る。おそらく出奔せんとの用意で

あろう。左様な者を養うは、城中の兵糧米《ひょうろうまい》のむだづかいゆえ、即刻出奔せよ」

「しかし」

と弁の立つ者が、群衆のなかからどなった。

「西軍はやぶれ、世は徳川殿の世となった。当城も、いまや御当家の城ではあるまい。勘兵衛殿、鍵をわたされよ」

「あっはははは」

勘兵衛は狂気したように笑い、馬上でいきなり腰をひねったかと思うと、ぎらりと槍の穂先をつきだし、

「鍵はこれよ。とれるほどの腕があるならば、みごと渡辺勘兵衛の鍵をとってみい」

そのまま槍をしごいて群衆の中につっこんだから、一同どっと崩れたち、一人の刃むかう者もなく逃げ去った。

城に大将がいないとわかると、城下の治安は極度にみだれた。遠く摂津、河内からも野伏、盗賊の類《たぐ》いが流れこみ、城下の町は白昼盗賊が群をなして横行し、商家に押し入り、婦女を路上で犯した。しかも盗賊の中には、逃亡した増田家の士卒もまぎれこんで、意外に勢いが盛んになった。

勘兵衛は、早速、手の者五百人を引き具して巡警し、盗賊を見つけ次第斬りすて

た。盗賊のほうでも互いに党をよびあつめ、三百人ほどが城外の村を占拠して勘兵衛に対抗するようになった。

勘兵衛は、月明の夜をえらんで五百人の人数に村をかこませ、みずから二十人をつれてこの村を急襲し、盗賊五十人を斃《たお》し、のがれた者は包囲して残らず討ちとった。

翌日、大手門の前に三百の盗賊の首を梟首《きょうしゅ》したとき、勘兵衛は、終日、口をきかず、近習が理由をたずねると、ただ一こと、

「これがおれの関ケ原よ」

と自嘲《じちょう》した。武士とうまれて関ケ原に出役できず、盗賊を退治してわずかに鬱《うっ》憤《ぷん》を晴らしている自分が、滑稽《こっけい》でもありあわれでもあったのだろう。

ほどなく、東軍の大軍が、郡山城の明け渡しを迫って、城を包囲した。東軍の大将は藤堂高虎、本多正純である。

勘兵衛は東軍の軍使に、

「主人の下知がなければ開城はならぬ。たってと申されるなら、弓矢でお相手しよう」

といったが、ほどなく高野山の増田長盛から開城する旨の書簡がとどいたために、勘兵衛は、蔵の品々の目録に城門の鍵をそえて寄せ手の軍使に与え、数千の城

兵をひとまず奈良の郊外の大安寺に集結させ、整然と退散した。

勘兵衛は、関ケ原にこそ出陣できなかったが、かれの将器はむしろ、開城の郡山で発揮された。東軍の諸将のうち、いう者があった。

「勘兵衛は敗《ま》け戦さで男をあげた」

高野山で謹慎している長盛も、勘兵衛の水ぎわだった後始末に感謝し、

「もし勘兵衛がいなければ、郡山城は盗賊の巣になり、増田家は天下に恥をさらしたことであった」

と、高野山の僧を使者として感状（武功公認書）を送ってきた。敗将が感状を出すなどは、こんにちの目でみれば奇異なことだが、戦国時代というのは「七たび牢人せねば武士ではない」といわれた時代である。あたらしい主家に仕官するとき、旧主から貰った感状が禄高をきめることになるのだ。

勘兵衛は、具足を菰《こも》につつんで馬につけ、ただ一騎、郡山城を出て、北の故郷へもどった。——

「そういう男よ」

と、孫六は、妻の由紀にいった。

「むかし、石田治部少輔《じぶしょうゆう》が、故太閤《たいこう》殿下からはじめて小禄の大名に取りたてられたとき、その知行の半分をさいて牢人島左近を召しかかえたという話がある。大名

の家というものは、名ある侍大将によって威を張るものじゃ。細川家の松井佐渡、上杉家の直江山城、肥後加藤家の森本儀太夫、飯田覚兵衛、黒田家の母里《もり》太兵衛、いずれもそうじゃ。御当家にはざんねんながら、世間にほこれるだけの左様なお人はおらぬ。渡辺勘兵衛どののほどのお人なら、御当家のお知行の五分ノ一をさいても惜しからぬ逸材じゃ」

「左様なお人なら、由紀も早うおがみとうございまする」

「これこれ。――」

孫六は、いやな顔をした。由紀は家中でも評判の美人で、三十をすぎたちかごろ、孫六の目から見ても、眼もとや身ごなしが、ひどく艶《つや》やかになってきている。白いあぶらの溶けたのどもとに、男への遠慮ない興味が育ちはじめていた。

「かるがるしゅうはいうまいぞ。勘兵衛は、度外れた色好みのおかたじゃ。そもじが餌食《えじき》になっては、わしがたまらぬ」

「あのようなことを。そのようにわたくしが大事とおおせなら、もっと、たんと可愛がってくださりませ」

「遊び女《め》のようなことをいう。おなごというけものは、若いころは男に食われるが、三十をすぎれば男を食うときいた。近頃のそもじを見ていると、その言葉もなるほどとわかった」

「それは聞えませせぬ。ご自分からお食べなさいますくせに、ご卑怯《ひきよう》ではございませぬか」

中年をすぎた夫婦の会話ほど、露骨なものはない。が、孫六は、その夜は独り寝た。旅立ちの夜は、潔斎するのが、武家のならわしである。翌る早暁《あく》、由紀は、燧《い》石《し》を切って孫六を送りだした。

大葉孫六が伊予今治を発って十日ばかりしたある日の昼さがり、屋敷を訪ねてきた者があった。門番の中間《ちゆうげん》が、思わず身がすくんだほどの大男だった。

「あるじは、在宅か」

旅塵《りよじん》によごれた渋茶色の袖なし羽織に、ところどころカギ裂きのみえる伊賀ばかまをはいているあたりは、どうみても物乞いである。ただ、ツカ長の大小のこしらえだけはひどく立派なもので、肩でも凝《こ》るのか、一貫ほどもある鉄扇で、しきりと左右の肩をたたいている。

「ど、どなたじゃ」

「近江の勘の字といえばわかるわ」

やがてそれが渡辺勘兵衛であることがわかると、屋敷は大さわぎになった。とりあえず勘兵衛を座敷にあげ、あらためて、由紀の口から孫六の不在をつげた。

「左様か、行きちがいであったな」

「ただいま、御家老の藤堂仁右衛門様まで使いを走らせますするゆえ、しばらくおまちくだされますするように。――」

「わしは孫六に会いにきたのよ。家老などには用はない。にえもんといえば、よえもんのほうは、在城か」

与右衛門とは、和泉守高虎のことである。

「殿様は、江戸御参覲《ごさんきん》でござりまする」

「それでは、孫六か与右衛門が帰るまで待とう。御内儀、すまぬが、ねむい。枕を貸して賜《た》もらぬか」

そのまま座敷で横になったまま、勘兵衛はぐっすりとねむった。由紀が、「お夜具を召しませ」とすすめたが、眼を閉じたまま、無言で、要らぬ、と手をふった。

翌朝、ふすまをそっとあけてのぞくと、勘兵衛は、なおねむりつづけている。

朝めしも昼めしも、由紀は自分で膳部《ぜんぶ》をもって行ったのだが、勘兵衛が起きそうにないので、そっと枕もとに置いて引きさがった。ところが妙なことに、あとで様子をみにゆくと、汁も菜もめしも、いつのまにか、からっぽになっているのである。

（おかしなひと。――）

由紀は夕食の膳をはこんだときに、しみじみと、勘兵衛の寝顔をみた。

岩をノミで彫りきざんだようないかつい顔だったが、そのくせ、ふしぎとおとなの顔ではなかった。腕白小僧が、遊びつかれてねむりこけているような感じで、由紀はふと、子供っぽいいたずら心を起した。べつに罪はない。

「渡辺様。――」

とよんでみた。しかし勘兵衛は、目覚めなかった。由紀は、妙に自信をもった。膝をにじらせて近づき、いきなり勘兵衛の顔へ手をのばした。鼻をちょっとつまんでみた。それでも起きない。由紀は、まあ、と思った。

（これでも武辺者なのかしら。このまま寝首を掻《か》こうとおもえば、わたくしだって掻けるではありませぬか）

勘兵衛の寝息は、相変らず規則ただしいのである。しかも、由紀は、じっとその顔をみていると、ますます無邪気な寝顔にみえてきて、ちょうどいたずらっ子でも寝かしつけているような奇妙な錯覚にとりつかれてくるのである。

「渡辺様？」

寝息に変化がない、と見すますと、由紀は、しめたと思った。勘兵衛のはだけた胸に手をあて、その胸毛をなでてみた。由紀の掌の薄い皮に、毛がさわさわと響いて、ふしぎな快感があった。

「もうし。わたなべさま？」

まだ起きない。

由紀は、ますます大胆になった。体をさらにちかづけ、胸毛の青々と密生した勘兵衛の意外に色白な肌に、そっと唇を押しつけた。勘兵衛の毛穴から汗に入りまじった強い男のにおいが噴きあがってきて、由紀はいまさらのように狼狽《ろうばい》した。

（これはなりませぬ。わたくしはどうかしている）

このにおいは、子供のものであろうはずがない。勘兵衛は、男であった。由紀は、いそいで部屋を出た。こめかみが痛い。顔に血がのぼっているせいだろうと、由紀はおもい、そっと頰《ほお》を両掌でおさえた。

（遊びつかれた。——）

そんな感じだった。幼いころ、男の子と土遊びや虫獲りをした記憶と似ていて、奇妙なほど不貞を犯した、などという大それたやましさがなかった。

ただそのあと、目のさめるような驚きが、由紀を待っていた。四半刻《しはんとき》ほどして、ふすまの隙間《すきま》からそっとのぞくと、やはり、膳部の上の食べ物はきれいに平らげられて、焼魚などは白い骨だけになっていたのである。勘兵衛は、あの由紀のいたずらを、知って知らぬふりをしているのだろうか。

その夜も、この武辺者は、衣服をつけたままねむりつづけた。

由紀は何度か寝顔をのぞきにゆき、そのつど、大胆になった。すこしずつ、いたずらを重ねた。形のいい小さな鼻を近づけて、胸もとのにおいまでを嗅《か》いだ。この体臭は、夫の孫六にはないものだった。これが天下一の武辺者のにおいであると思えば、由紀は、なんとなく貴重な物を嗅いだような気がした。

座敷の若党が、

「勘兵衛様のお肌着などはそのままのようでござりまするな。お着かえをお勧めなされてはいかがでございましょう」

といったが、（なんと、無智な）と若党を軽べつした。由紀は、この武辺者の唯一の理解者だった。

「それはなりませぬ」といった。若党づれが、なにを知ろう。

「渡辺様ほどの武辺なかたは、常住、戦場にあるおつもりでお暮らしなされているのでありましょう。いらざる節介をしてはなりませぬ」

とにかく勘兵衛は、屋敷に入ってきたときをのぞいては、まる二日半、溶《と》けこむほどにねむりつづけたきりで、由紀は、その起きている姿をみていない。

しかし三日目の夜、由紀はいつものようにふすまをそっと開いた。そのときの驚きを由紀は生涯わすれないだろう。

勘兵衛は、たしかに起きていた。勘兵衛が起きている姿を由紀がみたのは、これで二度目であった。しかも勘兵衛は、起きて、悠然《ゆうぜん》と体を動かしていた。その巨大な体の下には、華やかな女の小袖を折り敷いていた。小袖も動いていた。小袖の脚が勘兵衛にからみ、長い髪が畳のうえに流れて、ときどき、いきもののようにくねった。

「厭《いや》っ」

と由紀は、口の中で叫んだらしい。自分のその声にきづいて、あわててふすまを締め、自室に駈けもどった。部屋にもどると、両手を畳の上につき、辛《かろ》うじて上体をささえねばならぬほど、動悸《どうき》がはげしかった。その女をひどく不潔におもえた。女が、たれであるかを知っている。あのひとならば、あのようなことをしかねまい、とおもった。

小磯という女だ。

夫のいわば、叔母になる。孫六の祖父の嘉兵衛が七十を越えてから在方の賤女《しずのめ》に生ませた女で、由紀とは同年であった。由紀がここへ輿入《こしい》れしてきたときは、すでに他家へ片づいていなかったが、最近、不縁になって、当家へもどっている。

小磯を引きとるときに、由紀は、屋敷におけるその処遇にこまって、

「やはり、叔母上として仕えねばなりませぬか」

「さあ」

孫六にも、扱いの見当がつかず、一族の長老である家老の仁右衛門にたずねてみたところ、「それは、家来筋とせよ」ときめてくれた。

小磯は、いつも歯を手の甲でかくしてものをいう癖のある女で、さまで美人ではなかった。しかし、切れあがってよく光る吊《つ》り眼が、どうかすると、ひどく多情な感じがした。

ことば数がすくなく、おとなしい女で、庶腹《しょふく》とはいえ叔母である自分が、甥の嫁に奉公人同様にあつかわれていることについても、さして気にとめていない様子だった。しかし、かつては武家の妻だった女である。身だしなみがよく、朝夕の化粧《けわい》も欠かしたことがない。

(わたくしとしたことが、不用意であった)

夕食の膳を、小磯に下げるようにたのんだのがわるかった。色好みの勘兵衛に見さかいはあるまい。膳部のうえの魚やわらびをたべるように、小磯を食べてしまったのだろうか。

小磯を憎々しく思ったが、当の勘兵衛に対しては、むしろ、好意をふくんだ滑稽さをおぼえた。妙な感情である。

しかし、不満はあった。なぜ勘兵衛は自分に手を出さなかったのだろうか、と思ってから、ばかな、と思った。ひとり頬を染めた。これほどの不貞はない。

四日目の朝、由紀が膳部をもって座敷へ入ってゆくと、勘兵衛は、起きあがって、空にうかぶ雲をふかぶかと見つめていた。その姿には、けものが巌頭《がんとう》に立って遠い故郷を恋うているような孤独の気配があり、由紀は、これこそ漢《おとこ》の貌《かお》だ、ともった。

由紀は、丁寧に朝のあいさつをした。勘兵衛はふりむきもせず、

「市弥か。——」

「と申しまするとﾞ?」

「おお」

とふりむいて、

「御内儀であったな。これは、いかい、御無礼でござった」

由紀は、声をたてて笑い、あとで想いだすと汗が出るほど心が弾《はず》んでしまった。

「渡辺様は、おなごとみると、たれかれなしに、市弥、市弥、と申されまするそうな」

「そのほうが、名を覚える苦労がのうて始末がよい」

「市弥と申される最初のおかたは、さぞみめ佳《よ》きおひとでありましたろうな」

「あれは、男よ」

「すると、ご寵童とやらでござりまするか」

「なんの。わしが弱年のころ奉公してくれた若党で、力もつよく、戦場ではよう働いてくれたが、ある合戦でわしのために人楯《ひとだて》となって弾に斃れた。それ以来、この男のことをわすれぬために、おなごにはすべて市弥とよぶことにしている」

まあ、と由紀が大きく唇をひらいたのは、勘兵衛の家来思いに感動したわけではない。同性の、しかも骨組みたくましい若党の名を、いろごとの相手につける無神経さにおどろいたのだ。

(このおひとの心は、どういう仕組みになっているのかしら)

しかしその常人でないところが、勘兵衛のえらさだろうとも思った。

勘兵衛は、めしを食いはじめた。舌つづみを打ち、大きな咀嚼《そしやく》音をたて、見ていても壮快なほどの勢いで食いおわると、

「茶」

「はい、これに」

由紀は、勘兵衛の椀に茶をそそいでやりながら、「な」と呼んだ。

「な。当家におりまする小磯と申す者を、渡辺様は、市弥どのになされましたな」

「小磯? 知らぬな」

といってから不意に思いだしたらしく、

「ああ、あれかい」

「あれかい、では、ひどうございましょう。無理じいに市弥になされましたくせに。おなごの身が、可哀そうでございます」

「勘兵衛は、むりじいにおなごを痛めたことなどはない。あのとき、まだねむりほうけていてよく覚えなんだが、眼もとの美しいおなごであった。数日前から、日に三度、膳部をあげさげするごとに、あの市弥は、勘兵衛ごとき乞食同然の者を愛《いと》しゅう思うてくれている様子であったゆえ、ついつい、ああいう仕儀になった」

あ、とおもった。勘兵衛は、由紀と小磯を間違えているらしいのである。帯の下につめたい汗が流れた。

あのとき、由紀が抱きすくめられておれば、由紀は当家を出ざるを得ないはめになったことだろう。由紀は、なるほど寝ている勘兵衛をからかいはした。しかしそれはあくまでも「安全」と計算しての遊びで、それを踏みこえてまでして夫でない仇《あだ》し者と通じようなどという不貞の気持は、毛ほども持っていないつもりだった。

由紀は利口な女だ。まるで若い母親が幼い子供に話すような声色《こわいろ》を冗談めかしく作って、

「渡辺様の遠い御先祖は、大江山の鬼を退治た渡辺ノ綱でございましたね。おとぎばなしできいたところでは、あの源家の勇士たちは、鬼の酔って寝ているスキをね

らって討ちとったということでございました」

「左様であったかな。わしは昔話はあまり知らぬ」

「小磯にすれば、鬼の寝ている様子がおかしくて、すこしいたずらをしたにすぎませぬ」

「すると、わしが鬼か」

「左様でございます」

「すると、小磯は何になる」

「小磯は渡辺ノ綱でございます。鬼にちょっといたずらをしただけでございますのに、鬼のほうが起きあがって、渡辺ノ綱をむしゃむしゃと食べてしまうなどは、おとぎばなしには無い筋でございませぬか」

「なるほど、わしがわるかったかな」

勘兵衛は、由紀がはっとするほど、可愛い顔をした。由紀は楽しくなって、

「それはもう、渡辺様がお悪うございます。小磯にお詫《わ》びなされませ」

「しかし、御内儀。――」

こんどは、勘兵衛が、いたずらっぽい眼をむけて、

「そう申さるるなら、御内儀こそ、小磯殿に詫びなさらねばなるまいぞ」

「なぜでございましょう」

「勘兵衛は、これでも剣の林のなかで生きてきた男じゃ。眼は眠っていても、勘兵衛の皮、毛、骨はいつも目覚めている。御内儀、わしは存じていた。ついつい、小磯どのを市弥にしてしもうたのは、まさか御内儀は孫六殿のお持ち物ゆえ、市弥にするわけにはいかぬ。主のなさそうな小磯どのを身がわりにしたわけよ」

「まあ。……」

そのあと、どのようにして勘兵衛の前から部屋へ逃げもどったか、自分でも覚えがない。

(こわいお人じゃ)

慄《ふる》えがとまらなかった。自分が勘兵衛の胸毛をさわったり、唇をつけたり、体臭を嗅いだりしたことのすべてを勘兵衛は気づいていた様子なのであった。死にたいほどの羞恥《しゅうち》におそわれた。

(それを知らぬ顔でいたとは、底の知れぬお人じゃ)

数日、病気といって由紀は部屋を出なかった。冷静になってからあらためてその事を思ったとき、なるほど勘兵衛がそれほどの者であるからこそ、何万の大軍を自在に動かす能力をもっているのであろう。でなければ、ただの痴漢にすぎまい。

ひと月ほどして、孫六が戻ってきた。かれは、勘兵衛が屋敷に逗留《とうりゅう》していることを知ると、狂喜して、勘兵衛の日常の様子をこまごまと由紀にたずねた。

「なに。座敷で、床もとらずに寝起きなされておると？　なぜ左様な気のきかぬことをする。なぜ畳表を替え、夜具も新調してあげぬのか。そちは利口なおなごじゃ。それくらいのことに気づかぬわけでもあるまい」

「勘兵衛様は、ごく無造作なお人で、あれでよいと申されるのでございます。仕方がありませぬ」

「御膳は何をさしあげている」

「存じませぬ。小磯どのが、よいようになされておりましょう」

「毎日、湯をたてているか」

「存じませぬ」

「ご機嫌はどうじゃ」

「存じませぬ」

「そち、妙じゃな」

やっと、由紀の様子に気づいたらしい。孫六の目からみると、由紀は、この客をよろこんでいない様子であった。

由紀は、ここ一月ほどのあいだ、屋敷うちで勘兵衛とは顔をあわせぬようにしている。

こわいのだ。勘兵衛がこわいのではなく、由紀は、自分自身がこわかった。そうだろう、勘兵衛にこれ以上接触すると、自分自身がどうなるかわからない。

げんに、孫六がもどる三日前の夜など、寝る前に独《ひと》り点前《てまえ》で茶を喫《の》んだのがよくなかったのか、ひどく寝ぐるしかった。つい掛けぶとんをはずしたり、また掛けたり、ついには、灯をともしてみた。

枕元の明かりを入れたところで、なにをすることもない。無聊《ぶりよう》をもてあまして、髪をすこうかと思った。娘のころは、髪をすけばふしぎとねむれる習慣があったからである。しかし途中で倦《あ》いて、やめた。灯を吹き消した。

闇《やみ》になった。たれも見ていない。独りである。由紀は寝床のうえで、思いきってみだらな姿勢をとってみようかしら、と思った。そのとおりにした。やってみると意外に面白く、由紀はしばらく熱中した。

あおむけざまになって、肢《あし》をひらいてみた。はじめは、ほんのわずかに開いただけで、自分でもおどろくほど、明るい解放感があった。娘のころから、いかなる場合でも肢をひらいてはならぬという作法のなかに生きてきた由紀は、ただそれだけのことで、まったくくちがった世界に転移したような新鮮さを覚えた。

（かまいはしない）

と由紀は思い、闇のなかですこし体を動かしてみせた。灯の消えた部屋を流れているつめたい夜気が、すばやく由紀の両肢の奥にしのび入り、由紀はさらにそれを迎え入れるようにからだをくつろげた。これはあたらしい感動だった。もう自分が、箸《はし》にも棒にもかからない淫婦になったような感じがした。いたずらで、あばずれで、世間の思惑《おもわく》などは考えず、たれとでも私通するような愉快な気さくな村の女になったような気がした。そのときはじめて、

（抱かれたい）

とおもった。たれかに。孫六にではない。できれば、夏の日盛りの路傍で何人もの男に犯され襤褸《ぼろ》になって捨てられたい、と思った。これもひどく楽しい夢想だった。ところが、犯している武者の顔が、どれもこれも真白い歯をもっていた。勘兵衛の顔ではないか。

（ああ）

声をあげている自分に由紀は気づかなかった。気がついたときは、由紀は、つめたい廊下に独りすわっていた。

由紀の指は、勘兵衛の部屋のふすまの金具にかかっていた。

由紀は、ふすまを細目にあけた。中は、まだ明かりがついていた。そっとのぞいたとき、由紀は心ノ臓が凍るような思いがした。

勘兵衛の背がみえた。それがあのじだらくな武辺者かと思うほど、この男は端然とすわり、燭台《しょくだい》をひきよせ、書見をしていたのである。

「ご内儀か」

ふりむかずにいった。

「もう時刻が遅い。ご用ならば、明朝うかがおう」

「あ、あのう、お茶は要りませぬか」

「渇《かわ》けば、台所でひとり飲む」

このらいらくな男が、いまはひやりとするような物のいい方をした。由紀はむらむらと腹がたってきて、

「御用がございませぬかと、わたくしは親切でうかがったつもりでございますけど」

「ああ、そうでござったな」

勘兵衛に他意はなさそうである。ゆっくりと向きを変え、

「申しわけなかった。元来、文字に不馴れで書をよむのに難渋する。わしはどうやら、書見をすると、いつもこのように気がたつようじゃな」

おだやかに微笑している大きな眼が、気味わるいほどに澄んでいた。由紀は吸いこまれそうになった。しかし、あわてて帯に手を入れた。狼狽したときはみぞおちを押すとよいと祖母に教えられた。

「では渡辺様、おやすみなされまするように」

「ああ、ご内儀も。――」

勘兵衛は、ゆっくりと頭をさげて、見台にむきなおった。

自室にもどってから、由紀は、勘兵衛のおそろしさをはじめて見たような気がした。あの眼と微笑である。それに吸いこまれて勘兵衛のかつての家来や与力たちは、欣然《きんぜん》と死地にとびこんで行ったのであろうか。

「――で」と孫六は、語を継いだ。

「留守中、他にかわったことはなかったな」

「なにもございませぬ」

由紀は、自分を魔性《ましょう》だとおもった。


渡辺勘兵衛了が、藤堂和泉守高虎にはじめて謁《えつ》したのは、それからさらに一年を経た慶長七年の暮であった。高虎は、伊予今治に帰国するとすぐ、それが帰国の目的であったかのように気ぜわしく勘兵衛を城内によんだ。介添えには、家老藤堂仁右衛門と小姓頭大葉孫六があたった。

「勘兵衛、ひさしぶりじゃな」

高虎は身を乗りださんばかりにして、いった。久しぶりとは、関ケ原ノ役後、大和郡山の城を受けとったことをいっているのだ。あのときの受領使は、高虎と本多正純であった。

「ああ、お久しゅうござる」

「あのときのそちの手並、みごとであったな」

これが高虎のかなしい性分だ。威のある者には、一介の牢人に対してもつい機嫌をとるような口調でいってしまう。勘兵衛はニコリともせず、

「武士として当然なことでござる。しかし、右衛門尉（長盛）様は、よき主人ではござったが、よき大将ではござらなんだ。二度と城開け渡すような役目はしとうない」

「わしに仕えてくれるならば、左様な不運な目には遭《あ》わせせぬ」

「それがまことなら、重畳《ちょうじょう》でござる」

皮肉な口調でいった。その皮肉が高虎に通じた。いやな顔をしたが、苦労人のこの男のことだ、すぐにこやかな表情にもどして、

「仁右衛門からは、委細きいた。当家で八千石ならば仕えてくれるな」

「八千石？」

「いかにも」

高虎は、禄を値切るつもりでいる。勘兵衛には、それがわかった。

「と申されることは、渡辺勘兵衛に八千石並の働きでよいと申されるのでござるな」

知行の高によって、あつかう部隊の数がちがってくる。むろん合戦の仕方もかわってくる。勘兵衛は高虎に、「八千石相応の器量とみたのか」と皮肉ってみたつもりだった。

「不満か」

「べつに不満ではござらぬ。殿の器量で、勘兵衛の器量を秤《はか》れば、渡辺勘兵衛の重さもその程度なのかと思うただけでござるよ」

「それでは、一万石でいかがであろう」

「安いのう」

「そうか。それでは、もう五千石ふやそう」

「まだ」

「では、二万石でどうじゃ。当家の身代では、それ以上は呉れてやれぬぞ」

「では申しあげよう。拙者の知行は一万石でよろしゅうござる。そのかわり、御当家の軍陣のことは、一切勘兵衛にまかせるということでいかがでござるか」

「面白し」

「うふっ」

と勘兵衛は笑いをおさえた。面白いもなにも、高虎にすれば知行が意外に安く済んだことにホッとしているだけのことなのである。

勘兵衛のためにあらたに城内の二ノ郭に屋敷地があてがわれ、城下にも下屋敷の土地が縄張りされた。

普請《ふしん》ができるまでは、高虎の命で家老藤堂仁右衛門の屋敷に住むことにした。どうせ身一つだから、どこに住もうとかまわない。

ところが、ほんの三月ほど経つと、仁右衛門の屋敷は、勘兵衛の家来であふれそうになった。

勘兵衛が阿閉氏や増田氏にいたころのかれの家来たちが、旧主の仕官のうわさをきいて伊予今治に諸国から馳《は》せ参じてきたのである。

そのうちのある者は新しい主家を退転してまで伊予にきたが、ほとんどは生活に窮した牢浪の者が多い。どの男も乞食のような身なりをしていた。サビ槍一筋さえもたぬ者もあり、今治の城下では仁右衛門の屋敷の門前を通ると悪臭がするというわさが立った。

仁右衛門はさすがに閉口して、

「勘兵衛どの、なんとかならぬか」

「どうにも、ならぬなあ」

勘兵衛も苦笑している。

「しかし、あの連中は、行儀はわるいが、いざ合戦のときには物の用には立つ」

「左様でござろうとも。が、いま長屋という長屋に分宿して貰うているが、しかしこれ以上はとても入りきれませぬぞ」

「では、わしが出ようか」

勘兵衛は、仁右衛門の返事もまたず、即刻主だつ家来十人をつれて、孫六の屋敷に移った。おどろいたのは、孫六の屋敷である。十人の家来を収容する長屋がなかった。

「どうしましょう」

由紀は、ことさらに眉《まゆ》をひそめて孫六にいった。そのくせ、由紀は内心、浮きうきする心を懸命におさえているのである。

「ほかならぬお人じゃ、やむをえぬ」

孫六は、自分の家来の一部を親戚《しんせき》にあずけてまでして屋敷の部屋をあけた。ところが、孫六の屋敷にきてからの勘兵衛は、由紀の目からみれば、まるで人がかわったかと思うほどきびしい容儀の男になっていた。

挙措動作は、古格な室町振りにかない、由紀と顔をあわせても笑顔をさえみせなかった。むろん、座敷で寝ころぶなどの不作法もしないし、由紀のカンでは、どうやら小磯に触れていない様子なのである。

由紀は、あるとき、廊下で勘兵衛とすれちがったとき、すばやく訊《き》いてみた。

「渡辺様は、ちかごろお変わりなされましたな」

「あれも勘兵衛」

「え？」

「これも勘兵衛じゃ。わしの家来どもは、わしのみを頼りに、しかもわしのみを見つめて暮らしている。わしが自堕落ならあの者どもが落胆する」

「むかしの勘兵衛様のほうが」と、大いそぎでいった。

「由紀は好きでございました」

「むかしの勘兵衛は、よくねむっていて御内儀どのにいたずらをされたな」

「まあ、あれは渡辺様が」

といいかけたが、それ以上いうと自分がなにをいいだすかわからぬとおもって、あわてて話をうちきった。

その後、城内の勘兵衛の屋敷が竣工《しゅんこう》し、かれはそこへ引き移った。

勘兵衛が去っていったとき、由紀は、

（もうこの人と会う機会は、生涯ないのではないか）

とおもった。勘兵衛ははるかな身分のへだたりができてしまったし、第一、いくらおなじ家中とはいえ、他家の女房が一藩の重臣に会う用などはあるはずがなかったのである。それを思うと、脇のあたりから体温が急に冷えてゆくような奇妙なさびしさが、ときどき由紀をおそった。

歳月が流れた。

関ケ原からのち世は、はげしく移りかわりつつあった。しかしそういう歳月の早さも京や江戸だけのことで、伊予今治の城下ではべつだんのこともない。

勘兵衛は相変らず独り身で暮らし、由紀のきくところでは入れかわり立ちかわり城下の色町から遊び女を呼んでいるということだったが、かといって側女《そばめ》も置かなかった。身のまわりの世話は、まるで戦場にいる人のようにいっさい、男手にまかせきりなのである。

高虎は、

「淋《さび》しゅうないか。そちほどの身分ならば、しかるべき大名からでも嫁はめとれるが」

「ひとりが気楽でござる」

「なぜじゃ」

「妻をもてば、子をなし、世をゆずることも考えねばならぬ。一万石の身代に執着ができて、つい殿に言わでもの追従《ついしょう》もいわねばならなくなる。合戦で命も惜しゅうもなる。よいことはひとつもござらぬ」

ところが勘兵衛には、長兵衛宗《たかし》という者があった。のちに渡辺家の嗣子になった人物だが、実子ではなく、姉の子だった。これに知行の内から五百石を割いて先《さき》手《て》組の物主にしておいたが、あくまでも情義で行なった仕置きではなく、長兵衛は、叔父の勘兵衛におとらず剛強な男だったからである。

その後、大坂冬ノ陣までに勘兵衛の環境がかわったことといえば、藤堂家が、伊賀伊勢二十二万九百石に移封されたくらいのものであった。

その国替えの騒然としたなかで、由紀は、今治で一度、伊賀上野の城下で一度、勘兵衛に出遭った。

ついでながら伊賀は改易になった筒井定次の旧領である。城も城下の武家屋敷も、そのままに使うことができた。

由紀が夫の大葉孫六とあらたに入ることになった屋敷は、筒井家で禄千石を食んだ箸尾某という者の旧邸で、今治の屋敷よりもはるかに大きく、筒井家はもとより箸尾某も大和出身であり、いわゆる大和者の普請道楽だったために、邸内の結構も、武家屋敷に似あわずきらびやかなものであった。

大葉家がその屋敷に入ってから数日のち、由紀が、庭先で畳職人をあつめて指図していた。そのとき不意に後ろから、

「ほほう、これはまるで御殿じゃな」

あっとふりむいて、由紀は、みるみる赤くなった。頬を染めるのは由紀の癖で、べつにやましいつもりはない。しかし自分の頬が赤くなったことに気づくとますます狼狽してタスキを外すこともわすれてジッと勘兵衛を見つめてしまった。勘兵衛は由紀から視線をはずしながら、

「そこまで参ったので、立ち寄ってみた。この大葉家は、勘兵衛にとっては、実家のようなものじゃからな。牢浪貧窮のころには、さんざ飯をふる舞うて貰うた。実家のこんどの屋敷がどのようなぐあいか、ちょっと検分にきたわけじゃよ」

「ご案内仕《つかまつ》りましょう」

由紀はわれにもなく弾んでしまってから、そっと唇を噛み、噛みやぶってしまってやろうかと思うほどつよく噛んだ。なんとはしたない女だろうと思ったのだ。

「ああ、そうして貰えればありがたい」

勘兵衛が玄関の式台に足をのせたとき、由紀にとって都合のわるいことに孫六が城から戻ってきた。

孫六は、勘兵衛の意外な来訪にひどくよろこび、まず邸内の茶室に案内した。

「今治では茶室がござらなんだが、ここでは茶室がありますゆえ、茶をならわねばならぬかと思うております」

由紀は、勘兵衛のことだから、「武士に茶などはいらぬ」というかと思ったが、意外にも相槌《あいづち》をうち、

「道楽がなければ、男が肥《ふと》らぬ」

「まあ、渡辺様にはご道楽がおありでございますか」

「わしは無いわさ。無いゆえ、齢《よわい》五十になろうとしているのに、いまだに人間に圭角《かど》が多く、和泉殿にもきらわれる」

勘兵衛は、自分の主人である藤堂高虎を、普通には殿とは呼ばず、まるで同輩のように和泉殿とよんでいた。高虎にすればそのことだけでも耳ざわりだったのか、ちかごろは勘兵衛を重用せず、

「あれは畳の上では役にたたぬ男よ」

などと側近にいったりした。そのことが勘兵衛の耳にも入り、

「和泉殿は、畳の上の駈け引きで大身の大名になったお人じゃ。勘兵衛を毛ぎらいなさるはずよ」といった。

孫六は、そういう確執の噂《うわさ》もきいていたから、茶を喫しながらそれとなく諫《いさ》めると、

「なに、疎隔も噂ほどではない。和泉殿は利口なお方ゆえ、勘兵衛ごときと争いをなさらぬしまた勘兵衛の使い道を存じておらるる。――使いみちといえば、この様子では東西の手切れも間近いな。ここ数年のうちに、日本はじまって以来の大合戦があるかもしれぬ」

「相手は大坂の右大臣家（豊臣秀頼）でござりまするな」

「相手はたれでもよいわ」

痛ましい顔をしたのは、この男の性分で、前代の支配者の遺子の哀れさが先立つのであろう。

「とにかく合戦がある。おぬしも、武具、具足のたぐいは、よくよく磨き揃えておくがよいぞ」

そのあと、孫六の組下の者が会いにきたので、孫六は由紀に、屋敷を見ていただくように命じたが、なぜか勘兵衛は、かたくなにことわった。

「わしも屋敷に用があるわい」

由紀は、瞬《またた》きもせずに勘兵衛を見つめていたが、勘兵衛には気の毒なほどうそが顔に出ていた。由紀はそれを見ると急にからかってやりたくなり、

「ご用と申されるのは、色町の遊び女が参上しているのでございますか」

「それもある。しかし、わしは当家の御内儀が苦手でな」

「その苦手のわたくしに、あのころずいぶんと世話を掛けさせなされたのは、どなたでございましょう」

「はて、どこの勘兵衛であったろうか」

と、このとき、由紀がはっとするほど勘兵衛は気弱な微笑をうかべた。

その夜、由紀は、

（渡辺様は、わたくしに。――）

そのあとの言葉を脳裏に綴《つづ》るのがおそろしかったから、むりに孫六の抱擁をもとめた。由紀はすでに勘兵衛に想いを抱いている自分に気づいていた。しかし勘兵衛もまた自分に対しておなじ気持をもっていると知ったのはこのときからであった。


勘兵衛があの茶室で予言したとおり、それから数年たった慶長十九（一六一四）年秋、家康は大坂征討のために天下の諸侯を動員した。七十三歳の家康は、同年十月十一日にみずから軍をひきいて駿府《すんぷ》城を発し、同二十三日にはすでに京都に入っていた。

藤堂高虎は将軍秀忠に従って江戸から伏見に入り、同時に国許からは勘兵衛が仁右衛門とともに藤堂勢を統轄して合流し、総勢五千となった。

それがのちに冬ノ陣といわれた合戦である。しかしこの戦役の目的は家康の威力外交であったからめだつ合戦もなくすぎた。しかし翌る慶長二十（元和元）年の夏になってから、勘兵衛のいう「日本はじまって以来の大合戦」が摂河泉の野で展開された。

家康は、徳川譜代の大名のなかでは最強といわれ、赤備えの異名をとった井伊直孝の部隊と藤堂高虎の部隊を先鋒《せんぽう》とした。外様《とざま》の高虎をこの重要な部署に抜擢したのは他に政治的理由もあるが、渡辺勘兵衛、桑名弥次兵衛などの高名の牢人あがりが侍大将になっている藤堂家の軍事力を高く評価したためでもあった。

藤堂隊と井伊隊は、相並んで京都を発し、河内口にむかった。むろん勘兵衛は、先手《さきて》の大将である。ということは事実上東軍二十万の最先頭ということになるだろう。

この日、勘兵衛は、黒水牛の前立《まえだて》を打ったカブトをかぶって猩々《しょうじょう》緋《ひ》の陣羽織を着、琵琶股《びわまた》のたくましい鹿毛の馬にまたがり、金糸の房のついた采配を腰にさして、たれがみても惚れぼれするような武者ぶりであった。

その容儀をみて勘兵衛の古い郎従たちは雀躍《こおどり》してよろこび、

「われらが旦那は日本一」

と節をつけて唄いながら行軍した。勘兵衛の手飼いの者だけでなく藤堂家の士卒

はすべて勘兵衛の姿を仰いで、
「黒水牛のカブトが戦場にあるかぎりは、藤堂家に負け戦さはない」
という確信をもった。

陰暦五月五日、家康は本陣を京から河内の星田に進めた。同時に将軍秀忠も河内砂に本陣を進出させている。

その夜、家康、秀忠を中心に軍議があり、先鋒藤堂隊には、東高野街道を南下して道明寺《どうみようじ》に進出しつつある城方の大部隊（後藤又兵衛・薄田《すすきだ》隼人正《はやとのしよう》の両隊）を腹背から衝《つ》くように訓令をあたえた。

高虎は拝跪《はいき》して自陣に帰り、ただちにその兵五千を部署し、先頭隊長に渡辺勘兵衛了、藤堂仁右衛門高刑《たかのり》、藤堂新七郎良勝、桑名弥次兵衛、中備えに藤堂宮内高吉、本隊の長藤堂勘解由《かげゆ》氏勝をそれぞれきめ、六日未明、道明寺にむかって東高野街道を押し出した。

当夜は月がなく、霧が濃かった。

未明とはいえ闇は深い。五千の兵が具足の金具を擦りあわせながら、火もつけずに狭い路上を進むのは難渋なことだった。

ところが三丁も進んだかと思われるころ、高虎のもとに物見があわただしく帰ってきて、

「濃霧のためにしかとは見えませぬが、八尾《やお》と若江の方角にあたって、おびただしく人馬の動く音がいたしまする」

あとでわかったことだが、その大坂勢というのは、若江が木村重成、八尾が長《ちょう》曾我部《そかべ》盛親である。この両部隊あわせて一万の人数が、砂にある将軍秀忠の本陣を突こうとして急進しつつあったのだ。むろん、東軍の本営では道明寺の敵の動きに気をとられて事前にこれを察知することができなかった。

高虎は、年甲斐《としがい》もなく仰天した。

「そ、それは、たしかか」

ところが、このとき藤堂隊がにわかに乱れ立った。

「ど、どうした」

高虎は先鋒に使番《つかいばん》を走らせると、先頭の勘兵衛が既定の部隊行動を勝手に変更して、独断で先頭部隊を旋回させてしまったのである。使番は、

「渡辺様は、遠くの道明寺を討つよりも近くの八尾の敵を衝くのじゃと申されまする」

「おのれ」

すぐ騎乗の物見をその方向に駈けさせてしらべさせると、どうも事実らしい。

高虎は馬を飛ばして駈けてくると、

「勘兵衛、なにをする。どこへゆくつもりじゃ。わが藤堂勢は、御本陣の命により道明寺にむかって押し出すことになっておる」

「痴《こ》けな」

と勘兵衛はあざ笑った。

「戦さは、機に応じて変ずる。眼前に敵があらわれたのに道明寺に行くことがあろうか」

「それでは、御本陣の下知にそむくわ」

高虎は、敵よりも、家康・秀忠の機嫌をそこねることがこわかったのだ。勘兵衛はさらに笑い、

「畳の上の駈け引きも時によりけりじゃ。御本陣のお下知を後生大事にまもるのもよいが、戦さに負ければ何もなりませぬぞ」

「主命であるぞ。道明寺へ行け」

「和泉殿」

「殿とよべ」

「殿、あの若江・八尾方面の敵は、どうやら砂と星田の御本陣を突くつもりじゃ。われらが道明寺へむかった隙に、御本陣が突き崩されれば、関東勢の総崩れになりまするぞ」

「あっ、それもそうじゃ」

高虎はすぐ馬頭をめぐらせて駈け出そうとした。勘兵衛はその袖をつかみ、

「この急場に、どこへ行きなさる」

「御本陣へ駈けもどって、いかがすべきかを伺ってくる」

「あほうな」

勘兵衛の地声は大きい。

「その間に戦機を失うてしまう。いま霧のむこうの敵を押せば当方の勝ちは楽々でござるぞ」

「勘兵衛、主命じゃ、動くな。わしがもどるまで動くでないぞ」

「戦さの仕切りはこの勘兵衛にまかせると申されしは、殿の虚言《そらごと》でござったか」

「時と場合によるわ」

「いまこそ、その時と場合でござるぞ」

「ばか」

高虎は、必死だった。老人とは思えぬほどの勢いで勘兵衛の手をふりはらい、この老人がただ一騎、本営へむかって駈け出したが、四、五丁も行くうちに夜も明け霧も晴れはじめ、さすがの高虎の目にも、若江・八尾から押してくる敵の大軍がまざまざとみえた。

（これは、やむをえぬ）

見てしまえば、この男も戦場で半世紀ちかくを送ってきた男である。軍令にそむく罪はこわいが、この大軍を破らねば、本陣ばかりか、藤堂隊も潰滅《かいめつ》してしまうことはわかっていた。このときようやく決心がついた。

しかし遅すぎた。敵の長曾我部盛親は、すでに藤堂勢の存在をみて、いちはやく長瀬堤の高所に全軍を展開してしまっていた。戦場の地形的な利は敵がにぎった。

高虎は、あわてて馬をひきかえして全軍に攻撃を下知したが、長曾我部隊の巧みな戦法に打ち破られ、打ちかかる藤堂勢は、一段、二段、三段と潰滅した。まず藤堂仁右衛門が戦死し、つづいて桑名弥次兵衛が討ちとられ、そのほか騎馬武者六十三名、士分以下二百余名が戦死した。戦場で倒れているのは藤堂勢の武者がほとんどであり、主を討たれた馬が、麦畑の中を駈けまわった。

しかしこのときの勘兵衛の行動は、高虎からみれば奇怪なものであった。手兵三百を一カ所に固めたまま、この惨状の中で身動きもしないのである。

高虎は、何度も使番を走らせて勘兵衛の仕掛りを督促したが動かず、ついに高虎自身が勘兵衛のもとに駈けてきて、

「臆したか、勘兵衛」

「なんの。殿が下知されたかかる下手戦さにこれ以上仕掛ければ、地の利を占めた

長曾我部勢をよろこばせるばかりで負けが大きくなるばかりじゃ。いまに御覧あれ、勝ったはずの長曾我部が、ひとりで崩れまするぞ」

勘兵衛は、長曾我部隊の協同部隊である若江の木村隊の戦況の推移を見ていたのだ。木村隊は井伊隊と激突していた。最初は互角とみられたが、大将の重成が討たれたのか、いままさに崩れようとしていた。木村隊が崩れれば長曾我部隊は孤軍になる。おそらくそれを恐れて城へ引きあげるのは必定《ひつじょう》だった。

（その退《ひ》きぎわを討つ）

勘兵衛の思惑は図にあたった。

長曾我部陣の退き鉦《がね》が鳴ると同時に、勘兵衛は猟犬のようにとび出した。駈けながら、

「殿、いまじゃ、本隊の残兵をまとめてあれを追われよ」

「勘兵衛、ならぬ」

と、高虎は、激怒した。高虎にすれば、長曾我部隊など将軍家から命ぜられている敵ではなかったのだ。引きあげるにまかせればよい。藤堂隊は、遅まきながらも昨夜命ぜられたとおり道明寺にむかわねばならなかった。

この重大な一瞬で、政略家の高虎と武略家の勘兵衛とのあいだに致命的な食いちがいができた。勘兵衛は高虎が付いて来ぬのをみるといそいで引きかえし、

「殿は、約束を反故《ほご》になさるや」

例の禄をきめるときに約束した軍配のことである。高虎は冷笑した。

「戦さも天下の仕置《しおき》の一つぞ。うぬらに何がわかろう。道明寺へ行け」

「戦さは勝てばよいのじゃ。敵がそこにおるのに後方の御本陣の顔色をみて遅疑する馬鹿がどこにある」

「主人にむこうて馬鹿とは何事じゃ」

「馬鹿は馬鹿としかいいようがあるまい」

勘兵衛が鞭《むち》をあげるや、その手兵三百は黒旋風《くろつむじ》のようになって長曾我部勢に追尾し、久宝寺で激突して五百にあまる敵の後衛部隊を潰走させ、さらに長駆して平野《ひらの》まで進出し、道明寺方面から敗走してくる大坂方の残兵の列を寸断してさんざんに破った。

東軍の諸将のうち、勘兵衛ほどの広域な戦場をくまなく駈けた者はいなかった。摂津、河内の野を阿修羅のように駈けまわった勘兵衛の働きは、東軍随一の声が高かったが、主人の高虎だけはみとめなかった。

認めないのが、当然でもあった。この日の勘兵衛は、藤堂隊とは何の関係もなく馳駆《ちく》していたにすぎなかったからである。

戦いが終ってから勘兵衛は、血しぶきのついた陣羽織をぬぎすて、あらあらしく

高虎の幕営に入ってきて、

「殿、なぜわしに付いて参られなんだか。もしわしの手に三千の人数さえあれば、あのとき、長曾我部も真田も毛利も大坂城に退去させず平野で殲滅《せんめつ》できたところであった。されば、藤堂一手の武勇で大坂を攻めおとすことができたのではないか」

高虎は横をむいたきり返事をしなかった。

その数日後、この戦場でおなじ敵と戦った井伊直孝が、高虎に、

「御家中で莚《むしろ》の指物《さしもの》は何者でござるか」

高虎は沈黙した。勘兵衛了のことであったからである。

「あの指物の物主《ものぬし》は、北《に》ぐる敵を斬りなびけつつ手足のごとく軍兵を下知していた。あっぱれ大剛の士とみましたが、ご存じではござらなんだか」

あとで勘兵衛はこの話をきき、

「他家の大将に知られただけでも武者としてせめてもの仕合わせであったわ」

と、伊賀へ帰陣後、にわかに禄を返上すると、藤堂家を退転してしまった。

高虎は乱後、戦功によって伊勢鈴鹿郡を加えられ、のち侍従に進み、さらに少将となった。

大坂の陣における藤堂家の功績の多くは、侍大将渡辺勘兵衛の働きに負う所が多いというのは衆目の見るところだったが、中村一氏のときとおなじく、このときす

でに勘兵衛は藤堂家になく、栄光の配分に浴することはなかった。

勘兵衛は、伊賀にもどると、すぐ家来を藤堂家の朋輩や他家の知人にたのんでそれぞれ引きとってもらい、屋敷を整理した。ある日、ただ一騎、具足を馬につけ、槍をもって、住みなれた屋敷の門を出た。

(来たときとおなじ恰好《かっこう》じゃな)

自分でもそれがよほどおかしかったのだろう、馬上で何度か笑った。

その足で、あいさつのために孫六の屋敷へ立ちよった。座敷にすわった勘兵衛をみて、由紀はおもわず涙ぐんだ。

「孫六どのが、江戸から戻ればよしなに伝えてもらいたい」

「御退去のあとは、どうなさるのでございます」

「多少の蓄えもある。京へ出て庵をむすび、気ままに世を送ろう。ここへ来る途上、隠遁《いんとん》したあとの名まで考えてみた。睡庵というのは、おかしいか」

「また、もとの勘兵衛様におもどりになるのでございますね」

「ああ、もとの自堕落な勘兵衛にもどる」

「睡庵様でございますゆえ、また着たままで何日もお眠《やす》みになるおつもりでございましょう」

「ただ、嗅ぎに来てくれる者がおらぬ」

「渡辺様」

由紀の眼がきらきらと光った。その眼は勘兵衛を見つめていたが、しかし見ることができなかった。涙があふれた。かえってそれが、由紀を大胆にした。

「わたくしは、渡辺様が恋しゅうございました」

勘兵衛は、庭を見た。きこえなかったふりをして立ちあがった。

廊下へ出た。

窓が西にあるために、この廊下の朝は、いつも暗い。あとから出た由紀は、先立って勘兵衛を送ろうとして、その脇をすりぬけた。そのとき、不意に由紀の両ひざから力がぬけた。

由紀の体が不覚にも右へ崩れ、とっさに勘兵衛がささえた。勘兵衛の大きな手が、ゆっくりと由紀の背をまわって肩を抱いた。

「ああ」

由紀は、板敷の上に折りくずれた。

「立ちなされ」

「立てませぬ」

「やむをえぬ。こう……」

勘兵衛が抱きあげ、立たせようとした。しかし由紀がやっと立ちあがったとき、

勘兵衛はしばらくそのままの姿勢で由紀をはなさなかった。やがて、ツと放し、

「妙な男よ」

といった。

「おれという男の運命《さだめ》がどうなっているのか知らぬが、ふしぎとどの主人とも縁が薄かった。主人だけでなくおなごとも縁が薄かった。生涯で一度、愛《かな》しいと思うおなごがいた。しかしそれがひとの内儀ではどうもならぬわ。おかしな一生もあるものよ」

言いおわったときには、すでに勘兵衛は背をみせて歩いていた。そのまま、玄関でも、門でも、ついに立ち去るまで振りかえることがなかった。

「常山紀談《じょうざんきだん》」の記述では、睡庵渡辺勘兵衛了は、三代将軍家光の寛永年間まで京で存命していたという。由紀とのその後がどうなったか、そういう下世話なことまでは、古文書というものは書かないものらしい。

胡桃に酒

嫁御料人は、丹波からくる。

亀山城からくる。

しかし京には入らず、丹波高原からそのまま老《おい》ノ坂《さか》をくだって山城平野に入り、桂川《かつらがわ》の流れを渡し舟でわたって河畔の勝竜寺城に入られる。

京では、かなりの評判になっている。織田家の大名同士の婚姻である。もっとも京者《きようもの》はその程度の話題には馴《な》れているはずだが、これほどまで世間がさわいだのは、その嫁の容色のたぐいなさによるものにちがいない。

申すもはばかることなれど
日州《につしゆう》どのがおんひめは
衣通姫《そとおりひめ》もただならず

と、祇園《ぎおん》の懸想文売《けそうぶみう》りが、この年の正月から都の大路小路にふれあるいていた。懸想文売りとは、犬神人《いぬじにん》という下河原に住む賤民がそれをやる。京らしいみやびた商いで、烏帽子《えぼし》をかぶり、水干《すいかん》とも狩衣《かりぎぬ》ともつかぬ赤い衣装をきて梅の枝などをかつぎ、懸想文を売りあるく。ひとびとはそれを買って想う女に出す。

「衣通姫」

というのは、いうまでもない。遠いむかし、允恭帝《いんぎょうてい》の第二妃だったと伝えられる美女で、その容色のかがやきは衣を透したという。あまりの美しさのため当時、宮廷でさまざまの騒動がおこった。美女というのはそれ自体が人騒がせなものなのであろう。「日州どのがおんひめ」と懸想文売りがいう丹波の国主明智日向守《ひゅうがのかみ》光秀の三女もそうなのか。そのかがやきが衣をとおすというのか。

婚儀がちかづくにつれ、洛中《らくちゅう》はその論議でもちきりになった。いよいよ輿入《こしい》れというその当日は京から人がくりだし、老ノ坂から桂川あたりまでの沿道は人で満ちた。天正六（一五七八）年八月のことである。

この姫は、細川家がむかえる。

丹後の国主である。当主は高名な細川幽斎《ゆうさい》（藤孝）であった。幽斎は当初、足利家の直臣《じきしん》であったがのちに織田家につかえ軍功があり、光秀が丹波をあたえられると同時に、日本海に面した丹後の国をあたえられ、宮津城主になった。しかし細川家はもともと京侍の出であるためにその先祖以来の城館が京にちかい桂川のほとり勝竜寺村にある。そこに長子忠興《ただおき》が住み、平素は信長の近習《きんじゅう》としてそばちかくに仕えている。嫁はこの忠興に配せられる。嫁が入るべき城館は、山城勝竜寺城であった。
嫁をとる側の心づかいや支度も、非常なもので、なまなかな合戦よりも人手が要《い》り、ゆだんがならない。
細川家の嫁取奉行《ぶぎょう》は、
小笠原少斎
であった。小笠原氏も細川氏と同様旧室町幕府の名族だが、幕府衰亡とともに微禄し、細川家につかえた。かつての同格の家同士が、主従になった。
——もとは朋輩《ほうばい》の家柄である。おろそかにはあしらわぬ。
と幽斎は言い、武功もないのに破格なことながら、この少斎に家老の待遇をあたえた。武職にはつけず、奥むきを主管させた。小笠原家は室町式の儀典や作法にあかるく、少斎にとって適任であったであろう。多忙であった。織田右大臣家へのつけとどけもあるし、公卿《くげ》との交際、他の大名とのつきあいなどのほかに、細川家の内むきの庶務など、日常すべきことがじつに多い。職掌がら、頭をまるめて少斎という隠居くさい名を名乗っていたが、齢《とし》はまだ気の毒なほどに若く、二十六である。もっともときに五十年配にもみえた。京うまれのわりには容貌《ようぼう》はふるわず、皮膚の色は鉄色に光り、両眼が異常に大きく、唇がくろい。そういう風貌のために、

――牛頭《ごず》

というあだながあった。地獄の邏卒《らそつ》のことである。牛頭だけに筋骨は抜群で、――少斎どのは奥むきのことなどせず、戦場に出ても鉄砲大将はかるがるとつとまるであろう。

と、惜しがられていた。しかし戦務の練達者は数多くいても御所や右大臣家（織田家）との儀典にあかるいという者はきわめてまれである。少斎は家柄上これをつとめざるをえない。こんどの嫁取りについて少斎が奉行となっていっさいをととのえた。

きょう、嫁御がくる。

少斎は細川家の人数をひきいて、嫁の行列を老ノ坂まで出むかえにゆく。

この日、朝露が干あがったころ少斎は桂川をわたって老ノ坂へのぼった。路傍で待つ。

あたりは杉木立ちである。木立ちのなかを赫土《あかつち》の道が丹波へつづいている。蟬《せみ》しぐれがひときわ喧《やかま》しくなったころ、木立ちのはるかなむこうから華麗な色彩がうかびあがり、嫁御料人の行列がちかづいた。少斎はあわてて床几《しょうぎ》から腰をあげた。

頭上で、蟬が飛んだ。

理由もなくうろたえた。

(あほうめが。——)

と、少斎はおのれをはげしく叱った。それほどにのどの奥の粘膜がひりつき、動悸《どうき》がうった。気持がおちつかない。うろたえているのは、少斎だけであった。他の者は落ちついている。少斎はそういう他の者をうらやましくおもった。

(この連中が落ちついているのは、姫を知らぬからだ)

と、少斎はおもった。

(わしは不幸にも姫を見てしまっている)

少斎はこの春、亀山へ行った。明智家と嫁取りのうちあわせをするがためである。そのとき日向守光秀に拝謁《はいえつ》した。光秀は少斎のために茶をふるまい、

「少斎、なにぶんともよろしく」

と、これだけの貴人が両ひざに両掌をそろえ、亭主の座からふかく頭をさげた。少斎はそのことに恐縮したが、恐縮しながらも光秀のふるまいの典雅さに見惚《みと》れるおもいがした。光秀の容貌にわずかな欠点を見つけるとすれば頭髪の薄さぐらいのものであろう。容貌は五十を越えても童臭が消えず、口もとは婦人のようにやさしく、両眼がすずやかに切れている。この人物が牢人《ろうにん》の境涯から身をおこして織田家につかえ、わずか十年足らずのあいだに織田軍団の五将の一人になるほどの戦《いく》さ上手であるとはとてもおもえない。

光秀には、将領として小さな欠陥がある。隙《すき》がなく愛嬌《あいきょう》がなく、そのうえ政治的媚態《びたい》の才能がかいもくないことであった。巧弁がいえなかった。が、この場合、少斎にだけは人を蕩《たら》すようなことをいった。

「少斎」

といった。

「そのほうを他家の家臣のようには思えぬ。以後わが一族とおもうゆえ、そのほうもたまの伯父《はくふ》になったつもりであの者に心をかけてくれよ」

真情が面《おもて》にあらわれている。それが若い少斎を感激させた。そのあと光秀がいったとおり一族の待遇をもって家庭《おく》に招じられ、光秀夫人に拝謁した。

（噂《はなし》にきくがように）

と少斎がおもったのは、光秀の夫人に菊石《あばた》のあることであった。これには有名なはなしがあり、少斎も聞きおよんでいる。光秀がまだその生家である美濃《みの》の地侍の城館にいたころのことである。この女性をめとった。名は、伏屋《ふしや》といった。伏屋の容色美濃でもならびないといわれたが、縁談の進行中に疱瘡《ほうそう》をわずらい、見るかげもなくなった。実家では、狼狽《ろうばい》した。そのあげく智恵をしぼって伏屋とすりかえてその妹を明智家に輿入れさせた。光秀は出迎え、対面してみると、かねて縁談《はなし》の女性ではなく、わけをきくと妹であるという。この男は妹を鄭重《ていちょう》におくりかえし、

やがてみずから伏屋の家にゆき、

「あざむいてはなりませぬ」

といった。――私は、伏屋こそわが妻とおもっている。伏屋がたとえ面変《おもがわ》りしていようとも、問うところではない、と言い、そのまま伏屋をつれてわが家にともない、妻とした。その直後に美濃の明智一族がほろぶ。国主斎藤氏にその城を攻めおとされるのだが、光秀はあやうくのがれ、その後、中年になるまで諸国を流浪した。妻をつれて武者修行をした、といわれるのはこの期間のことである。あるとき、ある流浪さきで光秀は友人を自宅にまねいて酒宴せねばならぬことになった。が、酒をととのえるだけの金がない。伏屋は察し、ひそかに髪を切り、それを売って費《つい》えにした。その話はいまでは世間に流布《るふ》し、少斎も聞きおよんでいる。ついでながらこんど細川家が長子忠興の嫁として迎える三女たまは、その窮乏のころにうまれ、童女のころはこのような城住いではない。浪宅で育った。

さらに光秀という人物のおかしさは、戦国大名でありながらまるで切支丹《キリシタン》でもあるかのように一夫一妻をまもり、妻のほかにはついに婦人を設けたことのないことであった。この点の律義さは、この時世の風潮からみれば異常といっていい。

「少斎どの、菓子を召しあがりますか」

と、伏屋は座敷を立ち、みずから菓子盆をとり、縁の板敷にすわっている少斎のもとにゆき、そのひざもとまで近づいて、菓子をあたえた。五十余万石といわれる明智家の奥方としては、これまた尋常の立居ではない。

　やがて伏屋が別室に退《ひ》き、少斎が板敷でしばらく待つうちに、座敷がにわかにあかるくなった。少斎の不幸はこのときからはじまったといっていいであろう。

　少斎は、平伏している。顔は、あげられない。先刻から姫がすでに着座していることは気配でわかっているが、彼女は無言でありつづけている。下に声をかけるのは上位者の作法であり、ましてこれほど物やわらかな明智家の家風としてはそうあることが当然であったが、

（よほど、お気むずかしい……）

と、少斎はかすかに畏怖《いふ》した。しかしたかが十六歳のむすめなのである。

　少斎は、おもいきって顔をあげた。なんとむすめは目をいっぱいに張り、食い入るように少斎を見つめている。少斎はあわてて平伏した。先刻からの無言はこれであろう。後年、少斎がこのときのことを思って解釈したことは、精神活動のよほど旺盛《おうせい》なうまれつきで、少斎という人物に関心をもつとそれを観察することに無我夢中になり、ものもいえなくなるらしい。関心、というが、少斎はなぜ自分にこれほどまでの関心がもたれたのかという理由については知らない。

が、歴《れっき》とした理由が、たまの側にある。たまはかねて細川家ではこの嫁取りにつ

き「牛頭」という異名の者が駈けまわっているということを侍女からきいている。

——これが牛頭か。

と、ためつすがめつ観察していたのである。座敷に入った最初は、板敷に背中の盛りあがった牛が脚を折って伏しているようでおそろしかった。が、次第に観察してみると、牛頭の姿からえもいえぬ愛嬌がにじみ出てきた。

(地獄の牛頭馬頭《めず》も愛嬌があるのだろうか)

と、たまは考えた。

このむすめは、母親が女ながら儒仏の教養がふかかったせいか、早くから書を読み、人の講義も聴き、思想や思想的風景に接することがすきであり、とくに地獄の有無については強烈な関心があり、経典に描写されているその風景をあれこれおもいめぐらすことを好んでいる。その風景のなかの牛頭が、いま平伏している。

たまは、わずかに膝《ひざ》をうごかした。

——忠興どのは、どのようなお方か。

と、はじめて口をきいた。なにか口をきかねば悪いとおもったからであり、しかしながら実のところは、いま提供した話題の忠興のことなどよりも眼前の小笠原少斎のほうに興味があった。

——与一郎(忠興)さまはお心映えすずやかにして。

と、少斎はいった。「なみはずれての武勇のもちぬしでござりまする」

べつに、少斎は世辞でいっているわけではない。婿となるべき細川忠興という少年（たまと同齢の十六歳であった）は去年十五歳のとき初陣《ういじん》し、河内片岡城攻めでつねにさきへさきへと進み、鞍《くら》に弾二つがあたってもおそれず、ついに先頭を駈けて塀にとりついたことで信長から感状をもらった。大名の嫡子《ちゃくし》でこれほど勇敢な者もめずらしく、まして細川家は室町幕臣の家である。累代《るいだい》の京ずまいで公家《くげ》化しており、父の幽斎もきわだって将器のある人物ながら一面諸芸に堪能で、とくに歌道では当代幽斎に越す者はいない。そういう家から忠興のような者がうまれたのは奇蹟《きせき》といっていい。ただ幼いころから感情が激しやすく、側近のなかにも、

——若君は、くるい者ではあるまいか。

と、ひそかにくびをひねる者もある。異常なほど負けずぎらいで激情家であるということは、死に狂いに狂わねばならぬ戦場にあってはあるいはうってつけの性格であるかもしれない。

少斎の視線は、畳に落ちている。貴人を直視することは作法ではゆるされず、そのままの姿勢で忠興の美質をたたえた。

たまはうなずくのみで、関心はなおも少斎の挙動にかかっている。

たまは、この少斎になにかあたえたくなった。父の光秀は短刀一口《ふり》を与えたとい

うが、たまの身辺にはあいにく与えるべきものがない。たまは、背後の床《とこ》をふりかえった。花をつけた桃の太枝が活《い》けられている。立ちあがってそれを抜き、座にもどって、

「少斎、これをとりゃ」

と、板敷の方角にむかって腕《かいな》をのばした。母の伏屋のようにすらすらと板敷まで行って菓子をあたえるということはこのむすめはせず、座のまま手をのばしている。そのあたりが、母の伏屋との性格のちがいであるかもしれなかった。

が、伸ばしても、間尺《ましやく》がとうていおよばない。

少斎にとってたまを見る機会がようやく成立した。ゆるやかに顔をあげ、たまを見あげた。えりくびがきわだって細く、むなもとの皮膚が透け、血の色がにおいたっている。顔はやや薄手で、両眼がくろぐろと張り、唇に小さな緊張が溜《た》まっている。おどけているのか、それとも桃の枝をさしのばそうとして力んでいるのかもしれない。それはいい。少斎にとって、いまは桃の枝どころではなかった。これほどの美貌というものがこの世の人間のなかで存在しているということが、目の前にそれを見つめながら容易に信じられず、そのうちに気が昏《くら》み、ついには顔をあげつづけていることができない。

「早く」

と、たまの小さな歯のあいだから、そういう声が洩《も》れた。少斎にとってあたりの空気が一時に弾《はず》み、われにもなく上体を跳ねおこし、両手をひたいの上へあげ、戴《いただ》く姿勢をとった。が、桃の枝にははるかにおよばない。

「こちらへ、いま少し、ござれ」

と、たまはうたうようにいったが、少斎の作法がそれをゆるさず、辛《かろ》うじて板敷のうえを膝行《しっこう》し、しきいぎわまで進み、そこでふたたび両手を前に出した。が、まだ足りない。

たまのほうも、頑固だった。いや、それがおもしろくていわば即興の遊戯のつもりなのか、膝はうごかさず、右の腕のみをのばせるだけのばした。枝のさきが、激しく震えた。たまが、笑いはじめたのである。たまの胸もとの痙攣《けいれん》につれて花の群れが鳴るようにうごき、さらにはその花に軒端《のきば》からの光が射し、しかもその背後の床のあたりは暗い。花が光りながら揺れている。少斎の心は、いま地上にはいない。天女の舞う仏国土にいるようなおもいであり、この情景は後年記憶のなかに秘蔵されるにつれていよいよかれにとって天の秘画のようになった。少斎はついに前へ転倒した。

「……！」

と、たまの息が、きこえた。その弾んだ表情からにわかに笑顔が消え、わるかったとおもったのか、いそぎ片膝をたて、さらに進み、少斎の胸もとに触れるばかりに寄ってきて、その枝をわたしした。あとが、奇妙であった。

――たれにもいわないで。

と、いそぎ囁《ささや》き、そのまま衣摺《きぬず》れをいそがしく立てて逃げ去ってしまった。たれにもいわないで、という意味はどうなのであろう。いたずらをして嫁取奉行を転倒させたなどということが母の伏屋にきこえればどれほど叱られるかとおそれたのか、それとも、それ以外の情念が、不意のことながら籠《こ》められているのか。むろん、前者にちがいない。が、少斎の情念のなかでは、そのことばは粘度を帯び、別なにおいをこめて匂いたってしまっている。

陽の下で、少斎は待っている。

やがて、輿の行列が近づいた。少斎は路上に出、中央をすすみ、行列の先供《さきとも》の長《おさ》らしい男にあいさつをした。行列は、とまった。

所定の儀礼がおこなわれた。この場所で作法により、たまの乗る塗り駕籠《かご》の長棒が、明智家の者の肩から細川家の者の肩へ肩がわりされるのである。少斎は、それを指揮した。やがて駕籠わきにすすみ、地に片ひざをつき、

「遠みち、お疲れのことと存じ奉ります。少斎、おむかえに参上つかまつりましてござりまする」

と、あいさつした。

作法により、駕籠の引き戸が内側からわずかに動いた。それだけであった。たまは、作法どおり顔をみせなかった。


京の南郊にあるこの勝竜寺城というのは細川家発祥の城だが、いかにも草深く、中世ふうで、その規模は後年の細川家の居城である熊本城とはくらべものにならないほど小さい。堀は一重《ひとえ》で、しかも空堀《からぼり》である。本丸のほかに二ノ丸などなく、それに相当するものは松井、中村、沼田といった細川家の譜代の重臣《おとな》の家で、その家の作りもそのあたりの農家と大差がない。

本丸御殿の大玄関には、二引両《ふたつひきりょう》の拝領定紋《じょうもん》の幕がうちめぐらされ、門から入ってきたたまの駕籠はその式台《しきだい》までのりあげられた。

これをもって「輿入れ」という。玄関での出むかえは細川家家老松井康之《やすゆき》であった。つづいて舅《しゅうと》になる細川幽斎。玄関で嫁側の明智光秀と会釈した。光秀とその妻は前夜からこの城下の村に宿泊しており、門外で行列をうけとり、その先頭に立って大玄関に入っている。

嫁の荷物も、嫁とともにきてことごとくはこびこまれる。あまたの荷物のうち儀式上もっとも重要なものとされているのは、貝桶《かいおけ》であった。

蛤《はまぐり》である。室町のころにできたしきたりでは、嫁の側はこの貝の貝殻三百六十個をつめた貝桶二つを持参する。どういう想像力をもった男が創始《め》したことかはわからないが、蛤の貝殻は他の貝殻では合わない。そういうことを賞で、この貝を貞操の象徴とした。明智家の貝桶は亀甲形《きっこうがた》の箱で、紙張りの胡粉《ごふん》塗《ぬ》り、それに金箔《きんぱく》がおかれている。嫁側は玄関に入るや、これをまっさきに婿方にわたした。婿方の小笠原少斎は片膝をついておごそかにうけとり、

「千寿万歳、御貝桶、うけとり申し候」

というきまり文句を、謡《うたい》のようなふしをつけ、声高らかにとなえた。たまの生涯はこれで決定したということであろう。

婚儀は、日没直後におこなわれた。場所は本丸御殿のお座敷である。本丸御殿のお座敷といっても――信じがたいほどのことであるが――八畳と六畳のふた間しかない。

まず、嫁であるたまが着座した。

白装である。白練衿《しろねりえり》のうえに白綾、白帯、それに白の打掛《うちかけ》を肩には着ず腰に巻き、さらに白練のかつぎで頭をおおい、うしろへ垂れている。嫁の座は、床ノ間を左横にしてすわる。

ついで、忠興が入室した。直垂大紋《ひたたれだいもん》の装束《しょうぞく》で床ノ間にむかってすすみ、それを背にしてすわる。この位置からたまの左の横顔がみえる。忠興ははじめてたまを見た。

――うわさにたがわぬ。

というような余裕のあるおどろきではなかった。たがわぬどころか、忠興は自分の想像力のまずしさをおもわざるをえない。たまの前、畳一畳をへだてて二基の燭台《しょくだい》があり、たまの左右にもそれぞれ一基ずつの燭台がかがやいている。その四基の燭台に照らされているたまの顔と姿は、十六歳の忠興にとってうつくしいというよりももはや神にちかいように思われた。

（これが、今夜からおれの妻になるのか）

と、そのことがはじめはうそのようにおもわれ、やがて式次第がすすむにつれて気もおちつき、落ちつくとともにこの率直すぎる性格の男は、体の奥からなまな衝動が座にたえられぬほどにこみあげてきた。それをおさえようとすると汗が噴き出、顔の毛穴の一つ一つが水滴を噴き、それを見かねて婿方の侍女房《にょうぼう》が懐紙《かいし》を忠興にさしだし、二度まで汗を吸いとらせたほどであった。

室町作法による公卿や大名の婚儀ほど煩瑣《はんさ》な儀式はないであろう。この複雑きわまりない儀式を遂行するのは座敷にいる数人の女房たちであるが、この儀典の指揮をする者は、廊下のふすまかげにひかえている小笠原少斎であった。やがて儀式のことごとがおわり、少斎は大上﨟《おおじょうろう》の役の女房をかげによんだ。この儀式の最終の段どりを宣言せねばならなかった。

「お床入りでござる。御寝所にご案内を」

と、小声でいったとき、少斎は不意に目昏《めくら》みがし、前後もわからず上体を前へ倒してしまった。同朋《どうぼう》の一人があわてて背後から少斎を抱きおこし、お疲れでございましょう、と、少斎のきょうの大役に同情してくれ、お気が弛《ゆり》たのでございましょうか、となぐさめてくれたが、少斎ははげしくかぶりをふり、

——さわぐな。

と、顔を土色にしながら見当のはずれた叱責《しっせき》をし、そのことによって少斎はおのれの妄想をうちはらおうとした。

忠興とたまは、寝所に入った。この長時間の儀式の最後に、ごく素朴な、双方の粘膜が必要なだけの行為が用意されているはずであったが、しかしこの時代の日本人はこの寝所においてまで儀式を設定し、その行為のなまぐささを消そうとした。寝所で土器《かわらけ》に冷酒をみたし、たがいに飲みかわす。両人の間には白木の三方《さんぼう》が二つ置かれており、一つにはあずき餅がのせられ、他の一つには白米が盛られている。ここで婿たる者は妻へ訓戒をのべねばならず、忠興もそれをしようとつとめたが、

唾《つば》を幾度のんでものどから声が出ず、努めればつとめるほど両眼がそばだち、顔にあぶらが浮き、形相《ぎょうそう》が変わった。

床に入った。作法ではたまが最初に入らねばならない。ついで、忠興が入った。たまはあらかじめ乳母《うば》におしえられこの床の中で何事がおこるかは知っていたが、忠興のすさまじさまで乳母は教えなかった。狂人であった。たまは夢中でそれからのがれようとし、ついには怖れのあまりの反射であったが、脚をもって忠興のわき腹を蹴《け》った。忠興も、思慮をわすれた。気づいたときには抗《あらが》うたまの上でその頸《くび》を両手で締めつけていた。あわてて、離した。そのあとたまは床のそとにのがれた。忠興は床の上から跳ね、たまの胸もとに体をあて、その勢いで押したおした。際限もなかった。夜半、たまは横ざまになり、もはや指ひとつうごかせぬほどに疲労した。忠興はその姿勢を手づかみにするようにして仰臥《ぎょうが》させ、砂地を掘るような容易さでひらかせた。たまは無感動でいた。

翌夜は、たまは輿入れ以来の疲労で床に入るなり寝入った。忠興は容易な作業をした。

このことに、たまは味を占めた。第三夜はわざとうそ寝をした。が、忠興はこういうたまの無感動さにごうを煮やし、たまの目をさまさせるためにそのものつけねのあたりをひねった。次第に指に力をこめた。その痛みのはげしさはたまにとって気が狂いそうなほどであったが、しかしこの女のもつ性根のすさまじさは声もあげず顔色もかえず目をつぶって眠りをよそおいつづけたことであった。

第四夜、忠興をからだに迎えたとき、たまは闇《やみ》の中の自分が、もはや以前の自分ではなくなっていることを知った。体じゅうの知覚が一変し、忠興が彼女に加える衝撃がすべて甘美なものになった。さらに渇《かつ》えるようにその甘美さを欲し、もがき、全身でそれを訴えた。忠興は声をあげてよろこんだ。ついには夜が白もうとした。忠興はそれを無念とし、その無念を異様な行為で表現した。親指の爪を、たまの秘所近い皮膚にたて、やがて力をこめて爪をうずめた。傷の深みから、血が盛りあがってきた。

第五夜は、忠興はいない。

すでに織田家から軍令が出ており、細川家はその司令官《ふれがしら》である明智光秀の手に属して丹波小山城を攻めねばならなかった。忠興は出陣にあたってたまをよび、形相を変えていった。

――よいか。奥から一歩たりとも出てはならぬ。

さらにたまの侍女たちをよび、奥にはいかなる場合でも男を入れてはならぬ、奥へ通ずる小庭の柴木門《しばきもん》にも男の手は触れさせるな、このことを破るにおいては、殺す、といった。たまはそのことを異様におもった。明智家ではそういうことはなく、奥にも表役人で用のある者は遠慮なく出入りしていたのである。ところが忠興は「わが留守中は庭師も入れるな、枝おろしもするな」という。たまは不審におもい、それは細川の御家のご家法でございますか、ときくと、

「むかしは知らず、いまからはわしの言葉が家法だ」

と、忠興はいった。たまは、さらにきいてみた、「たとえば落雷し、火を発し、このあたりにまで火の手がまわりましても？」

そのときは男手が要るではないか。が、忠興は、色をなした。言葉返しをするだけでもふらちであるのに、武家に禁句の火事などという譬《たと》えばなしを出すなどはどういう料簡《りょうけん》か、と叫びたかったが、この男は懸命にこらえた。たまの機嫌を損ずることをおそれた。これだけの暴慢な男が、たまの顔を正視することさえできず、視線をぐるりと侍女たちのほうにむけ、

「そのときは、焼けて死ね」

と、どなった。


このころ織田家は、信長の生涯でももっともすさまじい活動期で、一時期に多方面の敵と交戦し、中国戦線は羽柴秀吉、大坂本願寺攻めは佐久間父子、紀州は丹羽長秀、丹波平定戦は明智光秀といったぐあいにそれぞれ担当し、それらの麾下《きか》の大

名は戦場から戦場へと奔走させられた。自然、忠興は多くは戦陣にあり、たまに接する日は年にいくらもない。

天正九（一五八一）年、忠興夫婦が満十八の年、細川家はやや小閑《しょうかん》を得た。父の幽斎は丹後宮津城で兵を休め、嫡子忠興は京の南郊勝竜寺城で日をすごし、ときに安土《あづち》城に伺候する以外はたまと一つ館《やかた》のなかですごした。

ときに父の幽斎が丹後からやってくる。あるとき、幽斎は、

「そなたの室《しつ》は、世にたぐいない」

と、忠興にいった。

忠興は、それだけで顔色を変えた。この男は父をも男と見ざるをえず、その幽斎がたまの容色について関心を抱いたかとおもったのである。が、幽斎の意味はちがっていた。

「学問がある」

ということであった。

儒学のことであり、この場合儒学は後の世の学問教養の謂《いい》ではなく人倫の実践道徳というべきものであった。幽斎のこの時代、学問は武士のあいだで普及せず、まして婦人にしてその素養のある者は稀有《けう》といっていい。要するに幽斎がたまをほめたのは、彼女が自分を中国風の道徳的拘束で縛りつけていることであり、この点、

室町から戦国期を通じてなま身を解放されすぎている世上の婦人たちからみればまるで亀鑑《きかん》とすべきだ、と幽斎はいう。

（――このことば）

と、忠興は頭に血がのぼった。疑った。父はなにを言おうとしているのか？　なるほど忠興はその留守中、奥に庭師も入れぬ。妻が他の男に通じるかもしれぬことを忠興はおそれている。この異常な悋気《りんき》はすでに家中のかげぐちのたねになっており、父はそれを耳にしたにちがいない。だからこそたまの貞操には確乎たる倫理的教養がうらうちされていると幽斎は言い、婦人に対する悋気のみにくさを暗に戒めているのか。

――ちがう。

と、忠興はおもった。

（父はついにわしという人間がわからぬ）

ともおもった。忠興のたまに対する猜疑《さいぎ》心やその身辺に対する警戒は、たまが他の男と交わるかもしれぬことを怖れてではない。忠興の心情はさらに根が深い。忠興はたまに世の中の男という男を見させたくはなかった。他の男の顔をみることによって、一瞬たりともたまが（かの者は、忠興どのより男ぶりがすぐれている）とおもうことを怖れた。さらには逆に、たまを見る男は男であればたれでもたまに対し淫情《いんじょう》をもつであろう。それを怖れた。この二つの恐怖をいま妄想するだけでも忠興は居ても立ってもたまらず、身のうちが陰火で焼かれるようなおもいがする。たまがいかに五常の道を心得ていようと、忠興の感情にあってはかかわりのないことだ。

(が、しかし)

と、忠興は思いを一転させた。たまははたして当代稀有の儒教の徒であるかどうか。儒教は婦人の従順については容赦のない強制をしており、この点たまはなるほど世間の大名の夫人たちのように夫に対して傲慢《ごうまん》でなく、忠興のいいつけには表面は忠実に従っている。

(が、心の中ではなにを思っているか)

と、これについては忠興はいちいちたまについて不信の念があり、つねにその一事が不安であった。たまの性格とその天賦《てんぷ》の才智から察すれば、その本質はひとに服従するような女ではなく、どうやら容易ならぬものを蔵していそうに忠興は思えてきている。たまはおそらくそういう自分に気づいているがために儒学という、目の痛むようなあの漢字のくさりでみずからを縛りつづけているのではあるまいか。

忠興は、丹後宮津城に移った。

天正十(一五八二)年の春である。このとき忠興は丹後十一万石の家督を相続し、父の幽斎は隠居をした。その隠居城として幽斎は京都南郊の勝竜寺城を居城とした。父子が居城を交換したことになる。たまも、宮津に移った。

この年、挿話がある。

丹後宮津城は幽斎が設計《なわばり》したもので、かつてこの国の国主一色《いっしき》家の城が八幡山《はちまんやま》という丘陵にあったのを平地にうつし、しかも城郭の半ばを海に突きだし、石垣を波にひたさせた。城の鎮《しず》まる宮津湾の左手には天ノ橋立の松並木が波間にうかび、右手には獅子崎の岬が湾を扼《やく》し、世にもこれほど美しい借景をもった新城はない。普請のときには明智家の人数も手伝いにきてくれた。まだ作事のすべてがすんだわけではない。

この朝、たまは忠興とともに御殿の座敷にいた。ひどく寒かった。やがてたまは厠《かわや》に立った。

忠興は、そのまますわっている。たまの立ち姿を見ていると、ふとそのむこうの庭——中壺というべきか——に庭師がうごいていることを知った。このとき忠興は在城中であるから当然、奥に庭師が入っていてもかれの私法としてはかまうまい。

が、忠興の感情がゆるさなかったのは、その庭師は松の下草を抜きながら、座敷で立ちあがったたまの姿をちらりと見たことであった。それだけで腹が煮えた。

たまはむろん、気づかない。中壺に面した濡《ぬ》れ縁《えん》をゆき、そのはしの厠に入った。

(たまが厠に入るのを……)

と、忠興はおもった。あの庭師は見た。……

やがて、たまは出てきた。

厠のそばに、蹲《つくばい》があり、水がたたえられている。たまはそこにかがみ、ひしゃくを取り、手を洗った。手を洗いながら、庭師のほうにむき、

「寒いね」

といった。ただ、それだけである。たまにすれば明智家でもそうしていた気軽なねぎらいのことばであったにすぎない。

仰天したのは、庭師であった。このような貴婦人から声をかけられようとは予期しなかったからどぎまぎし、土下座すべきか、立礼すべきか迷い、迷っているうちに不覚にも声を出して答えてしまった。へい、お寒うございますことで。

ということばが、この男のこの世での最後の言葉になった。座敷から飛んできた忠興が庭へとびおりるなり、有無《うむ》をいわせず、この庭師の首をはねてしまったからである。

血が飛び、首が苔《こけ》に落ちた。

が、たまは無言で手を洗っている。洗い、懐紙を出してぬぐい、座敷にもどった。

　忠興は、庭にいる。すぐおのれの狂気から醒《さ》めた。首をみて後悔をした。が、それよりも忠興にとって心ノ臓を噛《か》まれるような衝撃は、たまが顔色もかえずに手をあらいつづけていたことであった。

（わたしを、さげすんでいる）

　としか、おもえない。この場合、蔑《さげす》むとすれば、いまのたまの挙動以上のすさまじい蔑み方はないにちがいなく、しかもそれができるのは、人ではあるまい。鬼神以外にはできない。人の心情をそなえた者ならば、あの場合、あのように水のような冷静な態度はとれぬであろう。たまは、鬼神か、とおもった。鬼神なればこそ、そのあらあらしさを儒学という人倫の綱常《こうじょう》でみずからしばらねばならぬのかもしれず、とてものこと、父の幽斎のほめるような一筋縄でゆく貞女ではあるまい。

　忠興は、座敷にもどった。

　が、たまの姿はこのときには無い。忠興はそれを追って奥へゆくと、そこにもいなかった。侍女にきくと、持仏堂に入られた、という。彼女の持仏堂には、忠興も入れない。忠興はさすがに憚《はばか》り、きびすをかえした。

　彼女は、持仏堂にいる。数珠《じゅず》も経巻もとらず、なんの祈念もせず、横ざまにすわっている。ここ以外に忠興を見ずにすむ場所がない。できれば死ぬまで忠興を見たくなかったが、それは妻として彼女がもつ綱常がゆるさなかった。

彼女は、中世の末期にいる。中世人は、洋の東西を問わず、近代以後の人間からみれば信じられぬほどに激情的であったというが、彼女も忠興も、その時代に身を置いている。たまは、忠興のあの忠興自身もどう自律することもできぬ悋気と狂気についてはほとんど絶望をしていた。が、近代以後のひとびとには想像しがたいことだが、彼女の恐怖は、忠興がやがては地獄に堕《お》ちるということであった。あの男は地獄で、あの男がこの世で人に加えた以上の責苦を邏卒どもからうけるに相違なかった。たまの不幸のひとつは、その豊かすぎる想像力であった。その想像力は、その光景を、朱丹の極彩色で眼前に想いえがくことができるのである。

が、忠興をどうすることもできない。彼女の形而上学《けいじじょうがく》が命じているのは夫に従うことだけであり、夫の性格を匡正《きょうせい》するなどという大それたことは悪徳であった。彼女は忠興のそういう場合つねに手のほどこしようがなく、途方に暮れざるをえず、しかしながら途方に暮れるにはあまりにも彼女は精気がありすぎた。ついには、

——堕ちよ。

ともおもわざるを得ない。地獄に、である。堕ちるなら勝手におちよ、とむしろ

痛烈な感情で思い捨ててしまう。それが先刻庭さきにいた忠興の目には冷静——というより冷酷なまでの挙措《きょそ》動作にみえた。

いつの時期かは筆者にはわからないが、いまひとつの似たような挿話が、この夫婦にはある。

やはり、一つ座敷に夫婦がいる。ふたりで膳部《ぜんぶ》をはさみ、食事をしていた。このときむこうの棟で屋根師が仕事をしていたが、その男がたまを窺《うかが》い見たのかどうか、とにかく足をすべらし、屋根から落ちた。忠興は大剣をつかんで縁からとび降り、かなたへ駈けつけざま、その男の首をたたきおとした。例によって、首が落ちてからこの人物は後悔した。と同時に、たまの様子が気になり（つねにそうだが）座敷を激しいいきおいでふりかえった。

たまがおどろいているだろうとおもったところ、たまの挙措はすこしもかわらず、端然として食事をつづけている。

忠興はこのときほど、たまという、偶然わが妻にしたこの女におそれをもったときはなかったであろう。忠興はこのとき屋根師よりもおのれよりも、むしろたまを激しく憎んだ。おのれが屋根師を殺してしまったのも、たまを愛するがためではないか。いわばたまが殺したのも同然であると思い、さらにあのたまの口から音《ね》のひとつも、できれば叫び声一つもあげさせて呉《く》れようとおもい、その生首をつかみ、駈けもどって首を空いた膳部の上に据えた。どうだ——と、たまをにらみすえたが、たまの様子に変わりがなく、箸《はし》は依然としてうごいている。

さらにたまの箸が移って菜をはさもうとしたとき、忠興はたまりかねてわめいた。

「そなたは蛇《じや》か。——」

たまは、わずかに目をあげた。

「鬼の女房に蛇が似合でございましょう」

といった。それだけであった。これだけの衝撃に堪《た》えるだけの気根をもったこの婦人が、その亭主に対し、誹謗《ひぼう》がましいことをいったのは、このひとことぐらいしかない。忠興を見つめる両眼からつとめて忿《いか》りの色を消すために彼女はその並はずれた意志力をもってことさらに無表情をつくりつづけている。のちに彼女が信仰した天帝《でうす》が、彼女を生むにあたってこれほどの意志力をあたえたことは、彼女にとって幸福であったかどうかはわからない。


異変がきた。

これほどの異変は、忠興もたまも——いやそれどころでなく、この変事に見舞われたこの当時の歴史そのものも夢想すらできなかったほどのものであった。

明智光秀の反乱である。この年、天正十年の夏、たまの実家の父の光秀は信長から命ぜられて中国筋の戦場にいる羽柴秀吉を応援すべく出陣の支度をととのえた。当然、光秀の指揮下にある細川家も、光秀とともに出動しなければならない。光秀は、丹波亀山からゆく。細川家は日本海岸の丹後宮津からゆく。

「備中にて会同せん」

という通牒《つうちょう》を、光秀はその娘婿の細川忠興に出した。忠興は出陣の支度をととのえた。光秀からのしらせはそれだけであり、信長を伐《う》つとはにおいだに洩らしていない。六月二日未明、光秀は大軍団をひきいて老ノ坂まで至り、その南方の備中路をとらず、にわかに東進して夜の明けそめる京の市街に乱入し、本能寺に宿営中の信長を襲い、これを自殺せしめた。親戚にもこの計画を洩らさなかったところからみても、この光秀の計画はとっさのあいだに成立したものであり、それがとっさのあいだでないとすれば、事前に味方をつくらなかったという点で、その計画は戦略という名にも値せぬほど疎漏《そろう》なものであった。もともと光秀の周到すぎるほどの性格からみて、この人物はこの時期、よほど心身が耗弱していたか、それとも人にはいえぬ強迫観念がこの実施にかれを駆らしめたものにちがいない。

たまたま忠興の父の幽斎は、丹後における支城である田辺城（舞鶴市）に在城し、この日、備中への出陣のため宮津城にやってきている。変報をうけとったのは、事変の翌日であった。報《し》らせたのは光秀ではなく（光秀にその余裕がなかったのであろう）幽斎とかねて連歌を通じての雅交をむすんでいた愛宕山《あたごやま》の幸朝僧正という政治のそとの僧であった。

（光秀の天下は保《も》たぬ）

と、幽斎はおもった。幽斎は、かれ自身が天下を望むような器量はもたなかったが、時勢の観測にかけては比類のない目をもっていた。幽斎からみればこの事変の本質は、光秀が天下をとったことではなく、たれが光秀を倒して天下をとるかということであった。幽斎としてはいまから現われる者のめどをつけてそれに従うことであり、京で成功した光秀はすでに過去の人物でしかない。が、これほど明晰《めいせき》な幽斎にも、難題があった。

若い当主、越中守忠興のことである。忠興は幽斎の眼前にいる。

（このせがれめのたまへの情愛は、もはや妄執のようなものだ。思慮もいなやもなくたまの実家のために働こうとするのではないか）

となれば、細川家の滅亡であった。が、幽斎の救いは、忠興という息子の別な気質を知っていることであった。異常な自負心と、一種強烈な悲愴《ひそう》心と、その侠気《おとこぎ》のようなものである。それを刺戟《しげき》すればたまへの一件は涙をのんで堪えるかもしれなかった。そのためには家老《おとな》どもの並み居る満座のなかで言う必要があった。

　幽斎は、忠興にいった。わしは光秀とは若年のころからの友誼《ゆうぎ》がある。しかし私情である。故右大臣（信長）から蒙《こうむ》った恩は海山よりも深重《じんちょう》であり、こうとなっては髪をおろし、仏門に入ってその御冥福を祈り奉るしかない。しかしながら越中守どのは――と、忠興をわが子ながら敬称でよび、

「日州（光秀）とは婿舅《むこしゅうと》の間柄である。かれに与《くみ》しようと、どうしようと、勝手にせよ」

　といった。果然、忠興は幽斎の鉤《はり》にかかった。

「なにをおおせある」

と、忠興は怒気を発した。自分をそのようなおとこと思われたのはなさけない。妻につながる縁がなんでありましょう。

「たまへの愛憐《あいれん》の心がうごかぬか」

　と、幽斎はすかさず言い、忠興の反撥を期待した。言いながらこの場を劇的にするため小刀《ちいさがたな》を抜き、両手をうしろにまわし、もとどりを切った。

　――香を。

と、近習に命じた。髻《もとどり》をそなえて信長の冥福を祈るためである。忠興は、いよ

いよ激さざるをえない。忠興はいった。日州が大罪の人となった以上、その縁者であるたまも当然ながら連座せざるをえませぬ。罪を天下に謝するため、離別つかまつりまする。

(申したな)

と、幽斎にとってすべておもうがままになった。が、離別はこの若い夫婦にとってあわれすぎるとおもった。

「離別が当然である。が、光秀がほろびなば、たまには帰るべき実家があるまい。離別の形をとって山中に幽閉せしめるがよかろう」

これが、実施された。たまを離別したということで、あたらしい時勢のぬしに対しても申しわけができるであろう。

たまは、幽居せしめられた。場所は、隣国の丹後竹野郡にある味土野《みどの》峠である。山中に山伏寺がある。そこを住居とさせられたが、忠興は内実は彼女を罪人とはせず、十人ばかりの侍女をつきそわせ、さらに護衛の侍十人ほどをつけた。ただし彼女が起居する一郭には厳重に竹矢来《たけやらい》を組み、侍どもが入ることをゆるさなかった。

この間のたまの心境を書くことが、この噺《はなし》の主題ではない。たまは名誉をうしなった。儒教の徒である彼女は、父のこのたびの行蔵《こうぞう》を儒教の倫理から見ざるをえなかったし、この点、この戦国の功利主義的風潮のなかにあってたれよりも父に対して酷烈な審判をくださざるをえなかったにちがいない。

やがて光秀は十二日間の天下を保ったのみで、羽柴秀吉のために敗亡して自害し、さらにたまの生母伏屋とたまの弟妹五人は近江坂本城で自裁し、城とともに焼けた。たまにとってその父母と肉親のことごとくをうしない、実家すらなくなった。たまは、一人になった。夫すら、いまは義絶の関係にある。

が、細川氏はあたらしい時代にむかって活潑《かっぱつ》に動いており、幽斎はすでに秀吉に対し二心なき旨の外交を開始し、秀吉はそれを諒《りょう》とした。細川家は、秀吉の傘下《さんか》大名になった。

やがて、秀吉の天下になった。

秀吉はそのあたらしい時代をひらくにあたって方針として旧敵に対する寛大ということに終始した。秀吉は当然、あの事変後、明智氏たま子がどうなっているかを知っている。さらには細川忠興の彼女に対する情念のふかさも知っており、忠興がその後、後添いをもらわずにいることも知っていた。むしろこの場合、大名懐柔策のひとつとしてたまの罪名を削り、それをもとの細川家にもどし、同家に恩を売っておくほうが、新政権の将来を安全にするために必要であるとおもった。

――ぜひ、左様になされよ。

と、隠居の幽斎にもすすめ、当主の忠興にもすすめた。忠興は、奇妙にも感謝の念はおこらず、当然だとおもった。自分とたまの婚姻は旧主信長の公式の声がかりによって成立したものであり、明智家の私的な動機によるものではない。さらには舅光秀はなるほど反逆者かもしれないが、それを討った秀吉は旧主の復讐《ふくしゅう》をしたというそれだけの理由で織田家の遺族には政権を相続させず、自分が後釜にすわった。光秀が不義ならば秀吉も不義である。さらには秀吉の天下は光秀が取らしめたといっていい。が、忠興は表面、はなはだしく感謝し、礼をのべ、やがてたまを丹後の山中から迎えた。迎えるにあたって秀吉は条件を出し、

「玉造《たまつくり》屋敷に住まわしめよ」

と命じた。ちなみに豊臣政権下の大名である細川家は、大坂城の玉造口に屋敷を拝領している。備前の大名宇喜多家のとなり屋敷であった。その大坂城下にたまの居所を秀吉が指定したのは、一般に大名の家族を大坂にあつめておくという豊臣家の大名統治の基本方針によるものであったが、猜疑ぶかい忠興は秀吉の理由がかならずしもそれのみとはおもわない。

――いずれにせよ。

たまは、丹後を離れる。たまはその生涯の二年間をこの峠ですごした。いまさら巷塵《こうじん》のなかにもどることは死にまさるほど物憂《ものう》く、できればこのまま髪をおろし世を捨ててしまいたかった。が、夫をすてて勝手に出家できるような自由は妻にはゆ

るされていない。

「峠のお暮らし、さぞやご不自由でおわしましたろうとお察し申しあげまする」

と、大坂から迎えにきた家臣がいってくれたが、彼女はべつにそのようには思わなかった。最初の一年こそ、父光秀とその族党の死、光秀の汚名、自分が細川家と世間からうけたこのいわば流刑《るけい》などについて身の裂かれるような苦しみを覚えつづけたが、しかしつぎの一年間はこの悲しみが日常化してしまい、朝夕、この山伏寺の本堂にお参りして両親の菩提《ぼだい》をとむらうという習慣をつくりあげることによって、この峠での生活がむしろ楽しくさえなった。

「できれば、いつまでもこの峠にいたい」

と、たまは迎えの者にいった。が、この迎えの者は、無言であった。この無言の者が小笠原少斎であることにたまが気づくまで多少の時間が要った。たまは、この奥用人をわすれていた。それほどまでにこの二年間の苦しみが大きかったともいえるであろう。

「少斎、そのほうとは縁があるな」

と、たまはいった。婚儀のとき、この少斎が輿を老ノ坂までむかえにきてくれた。いままたこの配所から世間へたまをもどすべく迎えにきてくれている。縁がある。が、彼女にとっては少斎はたかが家来であり、それ以上の存在としてこの男を考えたわけではなかった。いや、ひとつだけ少斎について考えている。

――相変らず、牛頭に似ている。

ということであった。少斎も多少老《ふ》け、いまは似ているというなまやさしいものではなく牛頭そっくりであったが、むろん彼女にとってそれが不愉快ではなく、おどけた（少斎にとっては心外であろうが）愛嬌として感じている。が、妙ではないか、細川家へつれてゆく役がつねに地獄の邏卒であるこの牛頭であるとは。――たまは、山駕籠に乗った。老ノ坂をくだってからは塗り駕籠に替えた。淀川は、船でくだった。流れのままに船はゆき、夜あけには大坂につくはずであった。

この夜、晴れている。船中で仮睡せねばならなかったが、どうにもねむれず、夜半、板ぶきの軒端から月あかりが射しこんだとき、たまは思いもよらぬ恋情を忠興に感じた。早く会いたいとおもった。丹後の味土野峠でもときにおもったことであったが、忠興についての思い出は、存外、あのすさまじい悋気の種々《くさぐさ》についてではなく、忠興のもついかにも貴族の嫡子といったふうの雅士《みやびお》としての面ばかりであった。

忠興は、その父ほどではないにせよ、歌学にも通じ、茶道にも天賦の理解力をもち、さらに父以上にすぐれている点は、物の象《かたち》や色についての感覚のするどさであった。かれは、かつて堺に行ったとき、たまのための唐渡《からわた》りの錦《にしき》や絹織物を買ったが、布を買うだけではなく白ものを染めるについての色や模様はわざわざかれが考案し、それらを侍女に縫わせるときには寸法まで指定し、しかるのちに彼女に着せた。彼女の衣装のみごとであったことの功の半ばは、忠興の感覚によるものであった。

かれは、自分の甲冑《かっちゅう》、陣羽織、太刀の造りなどもいっさい工人にまかせず、すべて自分で考案した。

「越中どのの扮装《いでたち》のすがすがしさよ」

と、すでに織田家のころに他の大名からさわがれていた。

これについて後年のはなしだが、豊臣家の諸大名のなかで、兜《かぶと》の意匠を忠興にたのむ者が多くなった。鎌倉のころとはちがい、この時代、兜のかたちは均一なものではなく、人さまざまに奇抜さをきそい、おのれの武将としてのたたずまいに個性をもたせようとしていた。諸侯はあらそって忠興に依頼した。名は失われているが、ある大名も忠興に依頼した。忠興は巨大な水牛角の兜をつくってやった。ただしその角は本物ではなく、忠興はそれを軽くするために桐材をつかい、塗りにひと工夫をした。やがて出来あがり、その大名に見せたところ、大名は角が桐であることが気に入らず、

「折れはしませぬか」

と、不満気にいった。忠興はもうそれだけで激怒し、その兜をとりあげ、

「考えても御覧《ごろう》ぜよ。兜の角が折れるぐらいに戦うことこそ武士の本懐であり、さらには折れぬような角では役に立ち申さぬ。戦場で騎走して松の下枝に角が掛かれば、もし折れぬ場合、貴殿は馬からころげおちることになる。折れてこそ、物の用に立つ」

といった。いかにも道理であり、その大名は八方陳謝してその兜を貰ったという。

たまは、忠興のこういう面がきらいではなかった。

忠興というのは、戦場では狂気なほどの勇者であったが、かといって粗豪なばかりの男ではない。たまに気に入られたいというのが理由であったらしく思われるが、思想というものについて自分の理解力を示そうとし、ひとからきいてきては、たまにそれを伝えることを好んだ。たまが忠興との何年かで、もっとも楽しかったのはそういうことの思い出であった。

たまには、そういう嗜好《しこう》というか、志向がある。結婚した翌年、わずか十七歳で碧巌録《へきがんろく》の提唱をうけた。京の建仁寺の祐《ゆう》長老からうけた。しかも三十五則まですすんだ。祐長老は「わずか十七歳でこれほどの理解力を示した者をいまだ見たことがない」といった。結局、この提唱はたまの健康の都合で三十五則だけで中断した

が、そのあとは祐長老のかわりに忠興がひきついだ——といえば大げさになるが、忠興はその後、禅僧にあうごとに碧巌録について質疑をし、その結果をかならずたまに口うつしに伝えた。そのくせ忠興自身が、自分自身の魂の課題として禅家の修業を欲したことは一度もない。

切支丹についてもそうである。この夫婦が新居を京都南郊の勝竜寺城にかまえたころ、その南隣の城である摂津《せっつ》高槻《たかつき》城主は、日本におけるもっとも篤実な切支丹大名である高山右近《うこん》であった。あの当時、京の信長のもとに伺候しての帰り、同方向であるため忠興はこの高山右近と馬をならべて南下した。そのみちみち、右近はかれの信ずる南蛮の神を説いた。この当時、右近の伝道力はたれよりもすぐれており、自分の家臣のほとんどに洗礼をうけさせ、さらにその後豊臣政権になってからは同僚の大名である小西行長一家を信者にし、また蒲生氏郷《がもううじさと》や伊勢の大名牧村正春も改宗させた。

このあたらしい天と人の道理は、九州から畿内《きない》にかけてひろまりつつあり、忠興とたまが結婚した前年の天正五（一五七七）年八月には信長の保護のもとに聖母被昇天教会が京の四条坊門の地に落成し、その壮麗な泰西の建築物と前庭は都のひとびとの目をうばっていた。忠興は、その教義を知りたがった。右近は、懸命に説いた。

それを、忠興は城に帰ってからたまに伝えた。たまは、儒教と禅学によってわずかに知りえた物の理が、忠興を通じてうすうすに知りつつある切支丹の理よりも劣るようにおもわれた。とにかくも、たまは忠興からそのような話をきくことをよろこんだ。だからといって忠興自身は本来が非宗教的性格の男であり、さらにいえば切支丹がきらいであった。しかしたまのよろこぶ表情をみるためには、みずから好まぬところでも懸命の労を忠興はおしまなかった。

（あのような忠興どのは可愛い）

と、船中、たまはおもわざるをえない。翌朝、守口で夜があけ、やがて暁闇《ぎょうあん》が消えてゆくとともに壮麗な城郭がうかびあがってきた。大坂であった。たまは戦慄《せんりつ》した。ひとびとがさわぎ、船がゆれ、たまは侍女たちの手に抱かれた。血の気がひき、手足が冷え、震えがとまらない。きっとお船酔いでございましょう、と侍女たちが口々にいったが、たまには理由はわかっていた。亡父《ちち》の仇敵《きゅうてき》の栄華を見、その城下に入ることは、たれがたまであっても平静でいられないであろう。

城南玉造口の細川屋敷に入った。忠興は、登城して不在だった。

彼女が勝竜寺城で生んだ熊千代はすでに三つになっており、まずこの幼児と対面したが、たまが不快だったのは熊千代はその母をわすれているばかりか、おそれて乳母から離れず、乳母がむりやりに離そうとするとはげしく泣き、ついにたまのひざに来なかったことであった。二年の歳月はこの幼児の母であることすら、彼女からうばった。ちなみに熊千代はのち与一郎になり、忠隆と称する後年までこの母を慕わず、彼女もこの人物に対してついに冷淡であった。このためもあって忠隆は長子ながらのち細川家の相続資格をうしない、家督はその弟の忠利が継ぐ。が、忠利はこの時期、まだうまれていない。

その夜、たまが忠興から受けた愛撫はむごいばかりのもので、勝竜寺城のころがしばしばそうであったように、忠興はたまをねむらせなかった。

「たま、もはや二度とわがもとを離れてはならぬ」

と、忠興はすさまじい形相でいった。たまはおもわず錯覚した。

(私は、自分から細川家を出たのか)

とにかく忠興はつねにこうであり、この点以前とすこしも変わっておらず、とくに悋気についてはいよいよその病が強《こわ》くなっているように思えた。たまに丹後味土野峠での生活をくわしく語ることを強制し、

——男は、男は。

と、何度も詰問した。男と交わらなかったかという、たまにとっては想像もでき

ぬ事柄を忠興のみはいそがしく妄想し、せきこんではたずね、ときに顔色まで変えた。ときにたまの秘所をしらべ、「如何《いか》に、如何に」と返答を責めたてた。たまは再会をよろこぶ心をうしなった。息すら苦しくなり、

（またこの暮らしがつづくのか）

と、気持が滅入《めい》った。

もっとも、忠興のこのゆとりなさにも、むりからぬ事情はあった。かれにとっておそるべき事態がせまっている。かれの敵はすでに庭師や屋根師ではなかった。関白《かんぱく》秀吉である。

秀吉は天下を得るや、おのれの性欲からすべての制約を追放した。この点、秀吉はどの時代の支配者にもない奇抜な男になった。かれは家臣の妻はわが所有権の延長にあるとおもっており、この錯覚を陽気に実行した。本願寺門跡《もんぜき》の妻とも通じ、さる大名の屋敷をにわかに訪ねてその夫が不在と知るや、茶室でその妻と通じたりした。

――女房狩。

ということばすらささやかれた。女房狩の「鳥見役《とりみやく》」は、典医の施薬院全宗《せやくいんぜんそう》であるといわれた。諸大名は、おそれた。

諸大名の詰《つめ》ノ間《ま》は、その話題でもちきりであった。

そこへ、明眸《めいぼう》世に比類ないという細川家の室が丹後の配所から帰ってくるという。諸侯はひそかにこの一件の予想に興味をもち、ことさらに忠興を刺戟し、お気をおつけなさらぬといけませぬ、などと親切づらで忠告する者もいた。事実、これほど深刻なことはないであろう。もし下手に拒否をすれば家そのものがつぶされてしまわぬともかぎらないのである。

はたして、来た。たまが帰った翌日、秀吉側近の施薬院全宗が忠興を廊下でよびとめ、

——ご内室のこと、おめでたきかぎりでござる。上様に御当人からお礼を申しあぐべきでござろう。

といった。忠興は忿りで身が慄《ふる》えた。その血相の物凄《ものすご》さに施薬院は仰天し、散るように廊下のむこうへ行ってしまった。が、忠興としてはこれを無視することができなかった。無視すれば、施薬院はどのような告げ口を本丸御殿の独裁者の耳に入れるかわからない。忠興は、施薬院を追った。廊下は、長かった。追いついて、

——施薬院どの。

といったとき、施薬院は後《うし》ろ袈裟《げさ》に斬られでもしたようなおびえで、蒼白《そうはく》になった。忠興は懸命に笑顔をつくり、態度をいんぎんにして、たまは病気でござる、といった。おそれながらお匙《さじ》をわずらわすわけには参りませぬか……むろん忠興の詐《さ》

術《じゅつ》であった。忠興はこういう激情家でありながら、策士の才があった。後年、いよいよ反豊臣工作のために容易ならぬ策謀家になってゆくが、この時期は豊臣家とその側近衆にできるだけ従順さを粧《よそお》うことが策のなかでも上《じょう》たるものであることを忠興は知っている。この典医の診察を乞うた。

施薬院としては断わるわけにもいかず、その翌日、さっそくながら細川屋敷へゆき、奥へ通り、窓のない塗《ぬ》り籠《ご》めの病室でたまを診察した。真昼ではあったが忠興の指示で部屋のなかは暗く、かろうじて一穂《いっすい》だけの燈火が点じられており、施薬院の目では病人の容貌まで見えなかった。

施薬院はすでに忠興の気分を察していたから早々に診察を終え、室外に出た。その場で忠興は、おそらく細川屋敷の数年分の費用に匹敵するであろうとおもわれるほどのおびただしい金品を施薬院に贈った。

「上様には、よしなに取り繕いましょう」

と、施薬院はいった。その点、この男は如才がなく、

「上様に左様に申しあげますゆえ、ご内室の名代《みようだい》として小侍従《こじじゅう》どのでも登城させ、お礼言上ということになされば?」

という。忠興は、施薬院の他家についての知識におどろいた。たまの侍女頭《がしら》が小侍従であることをこの男は知っている。

忠興は、そのようにした。ちなみに忠興の祖母は清原家という下級公家からきた。小侍従はその家の娘であり、秀吉に拝謁しても不念《ぶねん》ではないほどに出自《しゅつじ》は尊い。さらにこの小侍従は多少小柄ということをのぞいてはたまにひどく似ているということで評判であった。施薬院はそこまで調べぬいてこの提案をしたのかもしれなかった。忠興はおそらくそうであろうと思い、秀吉の詮索《せんさく》がついにはそういう、諸侯の奥仕えの婦人にまで及んでいることに底びえのするような憎悪を感じた。

小侍従は登城した。

この時期、小侍従にとっては多忙なころで、先月、京の父の清原大外記《だいげき》のもとで縁談が進行しており、父からやかましく実家にもどるようにいわれ、やむなく京へゆき、その縁談を破談にした。彼女は縁談よりもべつなことに熱中していた。棄児《すてご》をひろう仕事であった。町や野に棄児をさがしにゆき、それを大坂の教会に所属している孤児院に入れ育てることであった。小侍従は切支丹であり、洗礼名をマリーと言い、その容貌のうつくしさから、大坂の神父たちは彼女のことを「聖セシリヤ」とひそかによんでいた。

秀吉は、この対面の日を待った。たまの名代としてくる清原小侍従という者が、まわりの者さえときにたまと見ちがえるほどその容貌が似ているということを施薬院からきいたからである。が、そのあと、小侍従が切支丹であるときいて、多少落胆した。

「さぞ、固かろう」

秀吉は、信長の政策の後継者として、切支丹には保護を加えていた。神父たちにしばしば接見し、その話もきいた。また別な機会に秀吉は城を出て大坂教会を訪問したことすらある。主任神父のセスペデスに会い、かれらがやっている社会事業の実情も見、

「仏教の僧の強欲さにくらべれば、貴僧らの無欲は見あげたものである。わしも切支丹になりたいくらいだ」

と、言い、セスペデスを狂喜させた。秀吉が入信するとすれば満天下はことごとく切支丹になるのではないか。が、秀吉は、

「ただし」

と、笑った。

「十戒のうちの第九戒がなければだ」

第九戒というのは、「汝、人の妻を恋ふるなかれ」である。秀吉は大いに笑い、神父の肩をたたいて教会を出た。これは当時、評判になった。

清原小侍従は、城内の小書院で待った。やがて秀吉が上段ノ間に出てきた。近う来い、といったが、小侍従は作法どおりひざをにじらせるまねをするだけで、前進

しない。そうと見て、秀吉はかれ自身がさらさらと降りてきて、小侍従の前にしゃがんだ。顔をあげてごらん、といった。

小侍従は、そのとおりにした。秀吉は内心のおどろきをかくさず、声をあげた。かれの数多い後宮の婦人のなかでもこれほどすぐれた美貌のもちぬしは居そうにない。

（忠興の室が、これ以上にすぐれているとすれば、いったいどれほどの美しさか）

秀吉は上段にもどり、いま一度小侍従を見た。惜しいことにこの女は貞潔ずきの切支丹であり、この点が厄介《やっかい》であった。秀吉は淡泊にあきらめたが、上機嫌がつづいている。たまの日常などをくわしくきこうとした。

小侍従は、要領よく答えた。この才気をも、秀吉は気に入った。最後に秀吉は唐渡りの綾《あや》を引出物にくれてやりながら、

「小侍従、そのほうに男を二人もたせてやりたい」

と、いった。この男の特徴のひとつである諧謔《かいぎゃく》がはじまったが、小侍従はその意味がわからず、くびをかしげた。秀吉は、

「ひとりはそのほうがえらべ。いま一人はわしが選んでやろう」

「どなたでございます」

「それはわしだ」

一座は、笑いをこらえた。背後の児小姓までがこみあげてくる笑いをのみこむために下をむいた。小侍従は自分が嘲弄《ちょうろう》されている、とおもい、怒りをしずめるために神の名を何度か念じねばならなかった。

小侍従は帰邸したあと、秀吉の諧謔を正気なことばとして忠興に報告した。忠興も物の諧謔ということが、性格としてわからない。

「猿は、そういうやつだ」

と、小侍従でも耳をふさぎたくなるほどのはげしい言葉でののしった。

小侍従はこのあと、たまに報告すると、途中でたまは手をふり、

「もう、いい」

と、話をさえぎった。たまは父光秀の子としての感情から、秀吉を話題にすることすらうとましかった。

この間《かん》も、高山右近の細川家への伝道はつづいている。玉造屋敷にやってきては忠興に教法を説き、聖典の話をした。右近はすでに自分の言葉がどこにとどくかを知っていた。つねにたまの容姿を念頭にえがきながら、話をした。そのくせ右近は、これほど細川家とながいつきあいでありながら、たまを見たことがない。

「これを、ご内室に」

と、公教要理一冊をわたした。忠興は子供のようにうれしそうな顔をした。たまはよろこぶであろう。

忠興はすでに修道士がつとまるかもしれぬほどに聖書知識をもっていた。すべてたまにそれを口うつしするために出来あがって行った知識で、そのくせ忠興は依然として信仰をもつに至らない。かれのこの伝道の動機はたまを外出させて衆目に曝《さら》したくないというただ一つの目的のためであった。たまを邸内にとじこめ、できるだけの贅沢《ぜいたく》をさせた。たまが、世間の最先端の宗教を知りたいというがために、忠興がこのようにして——つまり親鳥が空中から小虫を獲《と》ってきては仔鳥にあたえるようにしてそれを伝えた。が、忠興はたかをくくっていた。たまがまさか入信受《じゅ》洗《せん》するとはおもわず、あくまでもこれは彼女の知的娯楽のためであるとおもっていた。

たまのおそるべき知的欲求は、天主《でうす》の教えをより深く知るためにラテン語とポルトガル語を邸内で独習しはじめたことであった。これらの書物も、忠興が入手してきて彼女にあたえた。信じがたいほどのことだが、後年、彼女はこの二つの言葉の読み書きがポルトガル人同然の自由さでできるようになった。

ところで、忠興の滑稽《こっけい》さは、かれの洞察力では窺いきることのできぬ彼女の奥底ですでに切支丹への傾倒がはじまっていたことであった。もはや知的関心の段階はすぎ憧憬《しょうけい》がはじまり、その憧憬の段階もおわり、彼女の信仰は小侍従と同水準か、それ以上に高まっていた。忠興は、知らなかった。

忠興のつくったいわば牢獄にいるたまは、かつて、

――悲しむ者は幸福なり。

というキリストの言葉を知ったとき、儒教よりも禅学よりも、この一語だけが自分を救いうるとおもった。傾倒の最初はこのことばからであった。父母とその一族をうしなってみずからも配所に移されたとき、たまはこの世で自分ほど不幸な者はないとおもったが、この言葉を吐いた人はおそらく生きている者の悲しみの底までなめつくしたひとであろうと思った。たまのキリストへの傾斜は忠興がそうおもっているような思想的関心ではなく、キリストの肉声を最初から恋うた。キリストの生身《なまみ》への恋情であり、あがくようにしてキリストの肉声をより多く知ろうとした。これは忠興にはかくさねばならなかった。

「天主は謙《へりくだ》る者に恩寵《おんちょう》をあたへ給ひ、傲慢なる者には敵対し給ふ」

ということばをきいたとき、傲慢なる者として、父を殺した秀吉のいまを時めく姿をおもった。彼女が復讐すべき秀吉はたれの手を待つまでもなく、キリストの敵対を受ける。この断言は儒教にも禅にもなかった。光秀の遺児である彼女としてはこの世のいかなる者――忠興をふくめて――よりもキリストを恋い奉るのは当然

であろう。

忠興についていては、キリストの肉声はいう。「世の大名高家《こうけ》と人の子等に頼みを懸《か》くることなかれ、かれらは扶《たす》くる力を持たざればなり」と。たまを救う者は忠興ではない。

「終《つい》に彼等の生命《いのち》はほろびて土に帰るべし」

さらにキリストは二人の主人をもつな、と激しくいう。天主のみに仕えよ。「何《なん》人《びと》も二人の君に仕ふる事叶《かな》はず。宝を主人とし貪欲《どんよく》に身を渡して、しかも御主《おんあるじ》天主を思ひ奉る事叶はず」

たまは当然ながら洗礼をうけることをはげしく焦《こが》れている。が、不可能であった。洗礼は外出して教会で受けねばならず、外出は忠興がゆるさない。もしひそかに抜ければあとで忠興はそれを幇助《ほうじょ》した者をことごとく殺すにちがいない。

忠興は、九州へ出征した。

その間、突然、変事がおこった。

秀吉は傘下諸大名半ばをあげて九州征伐にゆき、その遠征中の天正十五（一五八七）年六月十九日、にわかに外国人宣教師の国外追放命令を、日本におけるイエズス会の副支部長コエルホ司教に対して発したのである。その理由は秀吉はあきらかにしない。いまなお臆測《おくそく》する以外にその理由はつかみがたい。とにかくこの厳命は外国人宣教師たる者はすべて平戸に集結せよ、便船のあり次第、日本を退去せよ、しからずば死罪に処す、というものであり、その直後、秀吉は従軍中の高山右近を本営によび、棄教を命じた。右近はそれに服せず、このため秀吉は即座に右近の城地封禄をとりあげた。ただし、この法令はあくまでも外国人宣教師の退去命令であり、日本人伝道者および信者の伝道と奉教については触れておらず、教会も日本人の手で運営される以上、制約はない。が、その寛容も、いつまでつづくかわからない。

その報が九州から大坂にとどき、やがてひろまった。たまは小侍従の口からそれをきいたとき、小侍従以上に狼狽せざるをえなかった。彼女はまだ受洗していない。もし神父が日本からいなくなるとすればたれの手で洗礼をうけるのか。たまは、とっさに死を——たとえば厠へ立つほどの自然さで、決意した。死を決意する以外に、忠興の設けたこの禁界を越えることはできない。

非常の手段をとろうとした。屋敷の要所々々は忠興から命ぜられた武士たち（少斎もそのひとりだが）でかためられている。小侍従は工夫をした。その工夫では柩《ひつぎ》のような大きな木箱をつくってたまをそのなかに容《い》れ、それを窓からつるし、路上へおろす。——

――このことを、あらかじめ神父さまにもお話し申しあげておかねば。

と、小侍従は判断し、すぐさま細川屋敷を出た。奔《はし》って城西の教会へゆき、神父セスペデスに面会すると、意外にも神父はのけぞるような身ぶりを示した。不可である、という。われらは関白殿下の勘気《かんき》を蒙り、このため退去令が出ているおりから、そのような貴婦人にそのような手段で洗礼を強行したとなれば、悪評は地を奔って殿下の耳にとどき、そのためどのような迫害が日本の信者にふりかかるかわからない。私に数日考えさせよ、と神父は言い、小侍従をかえした。

数日経った。小侍従は弥撒《ミサ》のはじまる前に教会へ行った。神父が足掻《あが》くような表情で待っていた。

「マリーよ。われわれは時を失った」

と、神父は小侍従の細い肩を抱き、ささやいた。退去の催促が出ており、私は今日にも大坂を去らねばならぬ。奥方の洗礼《バプテスモ》のこと、不可能である。が、ただひとつ便法がある。それは危険なことだが。

「どのような？」

と、小侍従がいうと、神父は、それは私がこの聖役の代理者をつくる、小侍従、あなたがそれだ、「あなたは」と神父はいった、すでに洗礼の儀式を学んでいるはずであり、おおぜいの棄児にもそれを授けた、あなたは、それをやる勇気があるか。

やれば、忠興に殺される。が、小侍従はそれを決意した。彼女は玉造屋敷に帰った。

秘儀の準備がすすめられた。たまは、彼女にあたえられている奥の一郭のなかでもっとも美しい部屋の十畳に壇を設け、必要なすべての祭具をかざり、それがすむと、翌日、奥の侍女のうちの入信者をすべてそこに集めた。小侍従が、聖役をつとめた。たまは、とどこおりなく受洗した。

洗礼名は、

「伽羅奢《ガラシャ》――聖寵」

と名づけられた。その霊名は、小侍従がえらんだ。小侍従はラテン語に通じていた。

ほどなく忠興が凱旋《がいせん》した。かれはこの日、奥御殿に入り、異様な宗教的装飾の部屋を見、さらには罪を待つために平伏している侍女たちを見て、一瞬、ぼう然とした。やがてその事実を知るや、狂気した。生後ほどもない三男光千代の乳母を縁から突きおとし、地面におさえつけて馬乗りになり、その鼻を削《そ》ぎ、両耳を切りおとした。たまは、座敷にいる。

庭のほうは見ず、祭壇を見あげ、その乳母のために聖句を口誦《くちずさ》んだ。

「……天主より与へ給ふ御折檻《せっかん》を、不退のいのちを保たんがために、争《いか》でか受けまじと思ふべきぞ」

忠興は座敷にあがり、別な侍女をとらえ、たまの面前で鞭《むち》をもってはげしく撃ち、さらに他の十数人の侍女をその場から駕籠にのせ、屋敷から放逐し、仏教寺院に送った。それらのことごとくの髪を切り、頭を剃《そ》らせた。が、小侍従はこの危害からまぬがれた。理由は小侍従にもよくわからなかったが、彼女の家は忠興にとっては祖母、幽斎にとっては母の実家であるため、忠興は父に遠慮をしたのであろう。

さらに忠興は、

「たま。たま」

と、その名を無意味に叫ぶのみで、あとはなにもいわず、彼女に対してはどういう危害も折檻も加えない。数日経ち、たまとひとつ座敷にいるとき、忠興は急に短刀をぬき、たまののどもとに擬《ぎ》し、

——棄《す》てぬか。

と、小声でいった。が、むだであった。やがて忠興はたまの幾つかの言葉とそのあとのながい沈黙に屈し、かれのほうが短刀をすてざるをえなかった。

忠興は、秀吉の意向をおそれた。秀吉がこれ以上の切支丹弾圧をすれば高山右近

同様、細川家もぶじにはすむまいとおもった。が、幸い、事態がすこし好転した。秀吉は高山右近への処置を多少悔いたか、加賀の前田利家に対し、高山右近の身の立つよう、これを客将にするようにとすすめた。利家は承知し、右近に三万石の知行をあたえた。このあたらしい事態が忠興を安心させ、たまの信仰生活を、不快ながらも黙認するようになった。不快といえばじつに不快であった。たまは受洗後、「棄児を育てる会」に入り、侍女をやって棄児を拾わせてきては屋敷で育て、ついに邸内の一角にその保護施設を建てたのである。

それはいい。

それにもましての忠興の苦悩は、秀吉の女房狩がその後いよいよ甚だしくなったことであった。関白のころはまだ多少の自制心は残っていたが、天正十九（一五九一）年、関白職を養子秀次にゆずって形の上では隠居し、太閤《たいこう》と称せられた前後から、秀吉は変わった。多くの独裁者がたどる精神のふやけ——もはや精神病といわるべきだが——がひどくなり、秀吉を制御できる者はこの世になく、秀吉自身も自分自身を制御する能力をうしなった。しきりに外出し、大名屋敷をたずね、風評のたねをまいた。さらに、こういうときに秀吉は朝鮮ノ役《えき》をはじめている。

忠興は、出征せざるをえない。が、朝鮮のことよりも、忠興の留守中、秀吉が細川家に押し入っては来るまいかという懸念から自分を解放することができなかった。大名たちのうわさはそのことで持ちきりであり、とくに細川家の妻女については、

――なにぶん、あれほどのごきりょうゆえ。

と、あたかも秀吉が忠興を留守にさせるがために朝鮮ノ役をおこしたかのような、そういう大げさなうわさの立てかたをした。むろん、世間のうわさ好きに罪はない。罪は、たまにあった。美しすぎるということは、それ自体が騒動のもとであるようだった。

忠興は文禄元（一五九二）年の春、兵三千五百人をひきいて博多にくだった。渡海軍の第九軍団に属し、四月、順風の日に輸送船に乗った。

これより前、忠興は大坂を発《た》つにあたってたまが住む屋敷の奥御殿の一部を改造した。信じられぬほどの発意だが、梁《はり》、天井裏、床《ゆか》の下などに弾薬《たまぐすり》を仕掛け、あたかも火薬庫のようにし、もし万一のときには燭台の火をどこかに投ずることによってつぎつぎに誘爆し、ついには御殿が人もろともに吹っとぶという仕掛けであった。

「もし、かの仇《あだ》し者《もの》が」

と、忠興はたまにいった。

「そなたの部屋に押し入ってきたとき、そのときこそ最期《さいご》である」

むろん、たまの肉体も粉砕されざるをえない。忠興はたまを失う。が、忠興にすれば秀吉に犯されてしまったたまを見るよりも、たまを粉にして——むろん秀吉もろとも——地上から消滅させてしまったほうが、はるかにかれの心の平安のためによかった。

が、それでも忠興は不安であった。

この出征のとき、かれは不安のあまり、晋州《チンシユ》城外の陣地からしきりに手紙をたまに書き送った。むりもなかった。朝鮮在陣の諸将のあいだで、

——内謁《ないえつ》
ということばが、流行した。日本からの風聞では秀吉が出征諸将の夫人に「内謁」をおおせつけているという。忠興はわざわざ戦野から日本に人をさしつかわし、たまの御殿の火薬を点検させた。

そのとき、歌をたまに贈った。

なびくなよわが姫垣の女郎花《おみなえし》
男山より風は吹くとも

たまは、これに対し歌を返さねばならなかった。

なびくまじわがませ垣の女郎花
　男山より風は吹くとも

彼女の歌は、忠興の歌を口写しに復唱しただけのものであったが、彼女としてはそれ以外の正直な心情をうかつに詠《よ》みこめなかった。もういいかげんにしてほしいとおもった。彼女は、爆破装置のついた住居に起居している。古来、人間の不幸の種はつきないが、いかに不幸な生涯の例を尽して挙げても、罪なくして爆破装置のなかで生活させられるというような不幸の例はないであろう。もしあの気まぐれな独裁者が城からやってくれば、たまの体は中空に舞いあげられ、灰になって飛散しなければならない。侍女たちはこぞってこの事態の至らないことを祈り、たまのこの不幸に同情した。が、たまはつねに、

「罪は私にある」

といった。自分がもし他の容貌をもった自分であったとすれば忠興はああも物狂いにならず、忠興によって殺された多くの男女もその非運を見ずに済み、彼女自身

もこのような苛酷《かこく》な運命のなかに身を置かずとも済んだにちがいない。罪は、この容姿にある。

戦陣の忠興から、彼女をよろこばせるための品がしばしばとどけられた。そのなかに、忠興が博多から送らせたらしい南蛮製の胡桃割《くるみわり》と珍陀酒《ちんだ》(葡萄酒)一瓶があった。胡桃そのものを送って来ないのは、毎年細川家では加賀前田家から胡桃の実をもらう習慣になっているのを、忠興は当然知っていたからである。たまは、前田領の能登《のと》の胡桃がとりわけ好物であった。

送られてきた胡桃割の道具は銀製で、人形のかたちに刻まれている。いかにも忠興の配慮らしく、この人形までが男でなく女児であった。

珍陀酒は、たまにとってめずらしくはない。堺で、買わせている。しかし忠興から送ってきたこの珍陀酒は葡萄色ではなく、さらにそれを蒸溜したものであるらしかった。瓶のふたをあけて鼻を近づけてみると、つよい芳香がした。たまの体質は、つねに多少の酒を欲した。「これにて徒然《つれづれ》を慰めて候へ」と、忠興の手紙にある。檻《おり》でくらす者にとって鬱を晴らすよすがは酒にたよる以外にないかもしれず、たまにとって酒に適《あ》う体質をもってうまれたことは、唯一の幸福といってよい。

ある夕、その珍陀酒の少量を、ぎやまんにそそいだ。

かたわらに、お霜《しも》という近江《おうみ》うまれの侍女がいる。お霜が胡桃を割る、たまはそれを掌でうけては、童女のような夢中さで食べた。

たまも、やがて自分で割ってみた。次第に割る作業がおもしろくなり、このためついつい食べる量が多くなった。この夜、たまは激しく腹痛し、夜半になると忍ぶ力も失《う》せ、わずかにうめいた。苦しみつつ、たまは自分の命は今夜おわるかもしれないとおもった。医師は、よべなかった。その理由は、むろん忠興の悋気にある。

小侍従は奔って、「表」と「奥」をつなぐ廊下の中柱《なかばしら》という箇所までゆき、奥付《おくづき》家老小笠原少斎をよんだ。

たまの発病を知って、当然ながら少斎は動転した。かれは表の書院まで医師をよび、その医師に小侍従からきいた容態をのべ、それだけで診断をさせた。医師が薬を調合し、看病法を少斎におしえると、少斎は中柱までゆき、小侍従殿、小侍従殿、と大声でよびだし、それを小侍従に伝えた。細川家にあっては、この方法しかない。

医師は、病因は、

――食いあわせでござりまする。

と、診断した。医師にいわせると、胡桃に酒は食いあわせであるという。鰻《うなぎ》に梅ぼし、そばに田螺《たにし》、そばに猪肉、蟹《かに》に柿、といったものと同様で、胡桃の多い能登のあたりや信濃《しなの》では民間の常識になっている。――ちなみにこの常識はながくつづき、明治年間に発行された通俗衛生の心得といった印刷物にも胡桃に酒、という一項がある。その後、この種の食いあわせになんの科学的根拠もないとされるようになったが、十六世紀のたまの当時の医師は、食中毒といえばすぐ食いあわせを考えたのであろう。

あけがた、やっと医師の薬がきいたか、苦しみからのがれることができたが、たまは十日も患《わずら》ったほどに憔悴《しょうすい》した。小侍従の口から医師の診断結果も聞いた。胡桃に酒が食いあわせであることを知って、病床のたまは自分でも始末しようがないほどにひどく不機嫌になった。忠興がそのようなものを送ってきたことが最初、まず不愉快であった。が、せっかくの好意を不愉快がることは基督《キリスト》教徒らしくないとおもい、覚えている聖書の句をさがしては心の支えとし、忠興の好意をよろこぼうと努めた。が、衰弱しているせいか、おのれをおさえる意志力がふるいおこらず、そういうおのれに嫌悪を感じ、ついにはえたいの知れぬ不快の思いが体じゅうにひろがって、

「――ちがう」

と、はげしく叫んだ。小侍従はこの女あるじの唇からこれほど激しい声が発せられたことがなかったために、おもわずのけぞり、次いで平伏した。たまは仰臥している。「ちがう」といった。食いあわせは胡桃と酒ではない、といった。そのあと

なにもいわず、ながい沈黙のあと、やがてはげしく落涙した。

——なにをおっしゃろうとしているのか。

と、小侍従は推測しかね、衾《しとね》のはしをおさえてうろたえるばかりであったが、その後、数日経って小侍従は覚《さと》った。細川越中守忠興と明智伽羅奢の縁がそもそも食いあわせであった、ということをこの女あるじは、声をかぎりに叫びたかったのではあるまいか。このさき童貞で送ろうとしている小侍従からみれば、夫婦という人間の関係ほどおぞましいものはない。とくに当家がそうであった。忠興はついにたまへの加害者でありつづけ、たまはたまで忠興の加害心を煽《あお》りつづけるのみの存在として当家に居る。小侍従には地獄としかおもえなかった。たまが地獄からのがれるには忠興の妻であることから昇華して天主《でうす》を唯一のあるじとして仕えまつる以外に救いはなく、その道をたまのためにひらくことができた自分を、神に感謝した。

しかし、たまの死が近づいている。

その死の発端は、秀吉の死からはじまっている。慶長三（一五九八）年八月といえば、二度目の外征の最中であり、朝鮮の戦線はいっこうに好転せず、膠着《こうちゃく》しきっていた。その十八日、秀吉は伏見城で病死した。

この報が陣中にとどいたとき、自他ともになんの利益ももたらさぬこの戦いに諸将は倦《う》みきっていたときであり、ことごとく蘇生《そせい》のおもいをもった。

忠興はこの二度目の外征に加わらず、伏見にいた。御城からの密報をきいたあと、この男はよろこびのあまり、あやうく叫ぼうとした。かれは自分の家老に秀吉の死を伝えるとき、

「猿」

ということばを使った。サルハ死ンダ、モハヤ居ラヌ、といった。秀吉にすれば忠興から爆砕されることなくぶじ病死したことをよろこぶべきであったろう。

（おそるべき者は去った。たまはもはや汚されることはない）

この安堵《あんど》が忠興をつねになく快活にした。かれは終日弾み、つぎの世はたれか、ということであった。豊臣家の幼童が政権を継承するなどという童話を正気で考えている者は、故秀吉の側近衆か、それともよほど無能の大名以外にはたれも居なかったであろう。忠興は大名たちのそういう気分を知っていた。つぎは次席大老である前田利家か、ともおもった。利家とは姻戚の関係であり忠興にはその点都合がよかったが、しかし力量や輿望《よぼう》という点を考えると、筆頭大老の徳川家康であるかもしれなかった。いずれにせよ、忠興の秀吉に対する憎悪の熾火《おきび》は消えておらず、どう世の中が変転しようともあの男の遺児にだけは世を渡すまいと覚悟した。

朝鮮を撤収した諸将が博多に帰ってきたのは、十二月に入ってからである。翌年正月十日、秀吉の遺児秀頼は伏見から大坂城に移った。大坂での裏面政治が活潑になった。忠興はもっとも有力な政治閥に所属した。野戦帰りの加藤清正、浅野幸長《よしなが》らのそれで、この武断派とのちに称せられた党閥は、秀頼を擁立して秀吉死後の大名統制を強化しようとしているいわゆる吏僚派の石田三成と対抗した。三成は、家康をなんらかの方法で葬ろうとあがいた。忠興はその盟友の黒田長政とともに家康擁護に奔走し、その間、前田利家を説得して家康に協調せしめることに成功した。そのうち利家が秀吉のあとを追うようにして死んだ。

家康にとって、幸運がつづいた。かれは豊臣政権の事実上の執権になったが、忠興らはさらに家康の側近としばしば密会し、つぎの段階を企図した。天下を徳川家にとらしめることであった。この時期、石田三成と密約している会津の上杉景勝《かげかつ》が、家康除去のために封地《ほうち》で兵をあげた。家康はそれを討つべく大坂で豊臣家の諸大名に動員をくだし、みずからそれをひきいて東に進み、関東に入り、さらに北上して奥州の関門にせまった。というより、迫る擬態を示した。家康は自分の留守中の大坂で石田三成が挙兵するであろうという確実な情報をもっており、家康の戦略からすれば三成に挙兵の機会をあたえ、挙兵させ、その報をきくや反転してそれを討ち、一挙に天下を得ようというものであった。忠興は、この家康のもとに従軍していた。だけでなく、まだ十四歳でしかない三男忠利を家康の側ちかくに仕えさせていた。家康は、関東の北上をつづけた。

家康が、三成挙兵という確報をうけとったのは、その行軍中の慶長五年七月二十四日であった。二十五日、下野小山《しもつけおやま》に諸将を会同し、軍議をひらいた。われに就《つ》くか、三成に就くか、ということをこの従軍中の豊臣家諸将にきめさせるための軍議であった。諸将は、動揺した。動揺のもっとも大きな理由は、かれらのほとんどが、三成の制圧下の大坂城下に妻子眷族《けんぞく》を置いていることであった。当然、それらは西軍の人質として三成の手でおさえられてしまっているであろう。

この情勢下で、たまは死ぬ。

三成らが大坂での挙兵を天下に宣言したのは、七月十七日である。時を移さずこの日、大坂市街に軍隊を配置し、人の出入りを制限し、諸大名の妻子が逃げることをふせいだ。

が、これほどの警戒下でも脱出した諸侯夫人が多い。彼女らは留守居の家来の才覚で、思いきった変装をしたり、荷物にまぎれこんだり、水槽の空底《からぞこ》にかくれるなど、いわば冒険的な脱出を試み、それぞれ成功した。

が、細川家の家来のみは、うごけない。もし留守居の男どもがたまを右のような仕様《しざま》で変装させ、荷箱にひそませ、やがては世間の塵《ちり》にまみれさせつついずこへともなく道中したということになれば、あとで忠興は狂いに狂うであろう。たれよりもたま自身がそれを知りぬいていたから、脱出を話題にしようとすらしなかった。たまは挙兵の日から、

「地震ノ間」

と、当家でよばれている八畳の間に起居するようになった。例の秀吉在世のころに忠興がつくった火薬の部屋が、秀吉の死後無用になり、とりはらわれた。しかし忠興はなにをどう想像したか、あらたに別なその種の部屋を奥御殿に作った。四方塗り籠めの部屋で、四方の壁には、紙袋に入れられた鉄砲の薬が無数に懸《かか》っている。

「もし大坂に地震があれば、すかさずたまをここへ案内《あない》せよ」

と、忠興は侍女にも言い、たま自身にも命じていた。その理由は臆測するに、地震があれば屋敷うちの者はみな外へ飛びだす。たまも屋敷外に逃げださざるをえないが、その混乱のなかでたまを衆目に触れさせることは忠興の堪えられることではない。いっそ、たまを死なしめたほうが忠興にとってわずかでも平素の安心になる。地震で家屋が倒壊して火を発するとき、自然この部屋の火薬に燃えうつり、それによってたまはその死骸《しがい》をひとに見られることなく微塵《みじん》になってこの地上から消えるであろう。忠興の空想力はそこまでにも及び、それによってこの部屋とこの命

令を用意したに相違なく、それほどまでの忠興が、この状況下でのたまの脱出をゆるすはずがなかった。

たまにすれば当然、三成の挙兵とともにこの部屋へ入らざるをえない。だけでなく、彼女の日常の祈禱《きとう》のための祭壇祭具、それに彼女がすでに唯一のあるじと決めている十字架上の基督像《キリスト》を、この部屋に移させた。その基督の前で起居しつつ、おそらくこの地上における最後の時間になるであろう数日をすごそうとした。

大坂城から、命令と説得が何度かきた。その使者に立ったのはつねに澄欣《ちようごん》という、かねて細川家と昵懇《じつこん》の城内の尼僧であり、彼女は五奉行の意向をつたえた。たまを城内に移せ、という。そのつど応対したのは、小笠原少斎であった。他家の場合なら、この少斎の地位にあたる者がすべて宰領して夫人を脱出させたりしている。

が、少斎にはなんの決定権も忠興からあらかじめ持たされてはいない。このため少斎はまるで子供のようにいちいちたまの意向をきかねばならなかった。それもたま自身には会えず、つねに台所まで行った。そこに下働きを宰領する前記の霜という侍女がいつも居る。その霜を走らせてとりつがせるのである。その返事はつねに、

——私は、動けぬ。

というものであった。動かぬという意思的な返答はなく、動けぬとは動く自由をもたぬ、という事情の説明であろう。それをあえて返答がわりにするところに彼女の意思がひそんでいるのかもしれなかった。

が、七月十七日になった。

この夕、尼の澄欣がやってきて少斎に会い、きょうは内々の使いとして参ったのではございませぬ、お奉行方の御下知をもって参っております、と、公式の使者としてきた旨を述べ、最後の返答をうけたまわるべく要求した。「しかし便法はございます」と、尼はいった。

尼のいうには、隣り屋敷は宇喜多中納言家である。ご当家とは縁つづきであり、御城にお入りになるのがおいやならせめてお隣りへお移りあそばしませ、ということであった。

少斎は、台所へ走った。台所はもはや暗かった。

やがて響きかえってきたたまの返答は、以前とかわらない。隣りの宇喜多に移る件、それはお奉行衆の調略です、とたまはいう。当主秀家が大坂方に属しているから、やがては御城へ渡されてしまう。

少斎は駈けもどって、尼に返答した。尼は吐息をつき、それではあとは力ずくということになりますね、といった。その口ぶりから察し、城方の人数は明朝にでも屋敷を包囲するにちがいない。

少斎はこの屋敷で籠城《ろうじょう》戦をする支度をした。かれの人数はすでに表門を固めており、同役の河北石見、稲富伊賀は諸門をまもっている。が、人数は老人までかりあつめてもやっと五十人程度でしかない。

日が落ちた。とともに奥から侍女が使いにきて、

——参られよ。

と、少斎にいう。少斎は、おびえた。はげしくかぶりを振り、奥にはわれらは参れませぬ、といったが、たまの侍女は少斎の袂《たもと》をひくようにして台所へつれてゆき、そこから上げさせ、さらにいくつもの間を通って奥の一室へ案内した。少斎は、廊下で平伏した。

たまが、端座している。背後の祭壇におびただしい数の蠟燭《ろうそく》がかがやいている。

——今夜、死ぬ。

と、たまが低い声でいった。少斎、そなたとは縁がふかい、介錯《かいしやく》致し候え、という。少斎は音をたてて慄え、思慮もみだれ、ことばも出ない。が、たまの声はそれを無視した。声が、続いた。

「その刻限は、戌《いぬ》（午後八時）ときめる。それまでに屋敷うちの男女はことごとく落せ」

落すについては、と、その方法をくわしく指示した。このあたりの指図の的確さは、さすがに光秀の娘であった。この屋敷にいる忠興の叔母七十余歳と長男忠隆の嫁千世姫（前田氏）は隣家の宇喜多屋敷にあずかってもらうように、という。ついで細川家の女児ふたりがたまの手もとで育っていた。これは小侍従に託し、大坂教会に避難せしめるように。それ以外の男女ののがれさきはそこもとにてはからい候え。

「早う」

たまが声をはげましたため、少斎は跳ねとぶようにして退出し、一時間ほどのあいだ、この仕事に没頭した。やがて、屋敷はからのようになり、河北石見が少斎にかわって表門をまもった。少斎は肩衣《かたぎぬ》をつけて廊下を歩き、やがて忠興の法度《はっと》をやぶり中柱を過ぎ、奥へ通った。このことは後日、忠興の激を買い、少斎の遺族は一時追放の憂き目にあい、さらには別の理由でその嫡子玄也《げんや》が家族十四人とともに誅殺《ちゅうさつ》されるが、このときの少斎にとっては知るよしもない。少斎は、ゆっくり歩いた。薙刀《なぎなた》を掻《か》いこんでいる。

通りすぎてゆく部屋は、ことごとく無人である。その巨大な空洞のような世界を奥へ奥へと進みながら、少斎がどういう心境でなにを考えたか、臆測するよりほかはない。婚儀の前、亀山城に使いしてはじめて十六歳のたまに会ったときのことは当然想ったであろう。あのときのたまは、いまとは別人のようにあかるい娘であった。嫁取奉行のとき、老ノ坂までたまの輿を出迎えた日の空の青さ、杉木立ちをわたる風の様子なども、少斎は想いだしたにちがいない。またたまが丹後味土野峠の配所にいたとき、少斎が二年後に赦免《しゃめん》のしらせを携え、たまを再びこの世間に案内すべく迎えに行った。あのとき、山駕籠にゆられて山をくだってゆくたまの様子は終始無言で、当然、色に出なければならぬはずの喜色はなかった。それらのすべてのたまは、少斎の脳裏で生き、天正六（一五七八）年からかぞえれば二十年余という歳月がはやばやと経ってしまっている。

——牛頭か。

と、この少斎が板敷の間で平伏したときにたまは、あるいはおもったかもしれない。たまにとっては少斎は男というべきものではなく、少斎がいまえがきつづけたような華麗な情念の対象ではない。ただ、奇妙であった。自分の生涯の折り目の毎《ごと》につねに案内役をこの男はつとめてきた。少斎ならば、このたびも仕損じはないであろう。

「自分は奉教人ゆえ、自害はできぬ」

そのほうの手で殺してもらわねばならぬ、とたまがいったとき、彼女はふと、忠興の顔をおもいうかべたにちがいない。忠興は、この体《てい》に激怒するのではないか。

が、いまはかまってはいられない。

　彼女は両掌をうしろにまわし、きりきりと髪を巻きあげた。うなじを空けて首を落しやすくするためであった。が、少斎は当惑した。首を落すとなると、たまの背後にまわるべく、たまの部屋に踏みこまねばならない。それだけは、忠興のあの気象に対して憚られた。

「左様にては御座なく」

と、少斎がくびを横にふると、たまはすぐ察し、こうか、と両ひざを立て、白装の胸元をくつろげ、乳房の下を露《あら》わにした。少斎はうなずき、かれ自身は左膝を立て、薙刀を頭上にかざし、刃をキラリと上にした。が、すこし遠い。少斎のほうから進むべきであったが、すでに閾《しきい》がある。越えれば、たまの部屋を侵すことになる。

「おそれながら、いますこし此方《こなた》へ」

　言われるがままたまは膝をにじらせた。

「こうか」

とたまがいったとき、少斎の薙刀が頭上でみじかく動いた。

　瞬間、たまは転倒した。すでに息がない。

この直後、この玉造屋敷は火を噴き、梁や瓦を爆《はじ》けさせながら炎上し、わずか一時間のあいだに灰になった。翌朝、焼跡から小笠原少斎ら数人の遺骸が発見されたが、たまの遺骸は忠興がそれをのぞんだようにどこにも見あたらなかった。

一夜官女

村のひがしには、葦《あし》が多い。

枯れた葦のなかを中津川が流れている。満潮のときには、葦の原をひたして川が逆流し、あたり一面に海のにおいがみちる。葦のなにわの津とはよくいったものだ、と小若はおもった。小若は東のほうをみた。二里ばかりむこうの台地に、大坂城の天守閣が夕雲を背にして紫に浮きあがってみえた。

村を摂津《せっつ》野里村という。もっともその名を小若が知ったのは、二日前のことだ。供の弥兵衛《やへえ》老人が旅に病んだために、村にただ一軒しかない旅籠《はたご》の油屋治郎八方に足をとめて二日目になるが、この夕景がひどく気に入っていた。

(旅にいるせいかしら)

そうかもしれない。

街道のむこうに、森がある。

森に夕もやが立っていた。この村の鎮守《ちんじゅ》である「すみよし明神」の森である。

その建物さえも小若には異風にみえるのである。もっとも住吉《すみよし》明神の信仰は摂津にかぎられたものだ。紀州の山里の郷士の家にうまれた小若の眼には鳥居の形までがめずらしい。

「御寮人《ごりようにん》さま。左様に障子をおあけなされていると、お風邪を召しまするぞ」

隣室からふすま越しに、供の弥兵衛老人が声をかけた。

陽《ひ》が落ちたのか、急にあたりが暗くなり、風がつめたくなった。

「ほんと。なんだか、背筋まで冷えてきたような」

小若は、二階の障子をしめようとして、ふと手をとめた。眼の下の街道にひとりの男をみとめたのである。

男は、編笠をかぶって顔はわからなかったが、ひと目みて、目をそばだたせるほどのずぬけた体格をもっていた。

旅の武芸者ふうの男で、両刀を腰にしていなければ、野伏《のぶせ》りとまちがわれるようなひどい風体《ふうてい》だった。一月というのにすりきれた単衣《ひとえ》に色あせた袖《そで》無し羽織をはおり、茶染めの革バカマをはいている。

(まあ)

小若は、つつしみぶかい女だが、好奇心が人なみはずれて強い。

(どのようなお人であろう。このやどにおとまりなされるのか)

武芸者は、旅籠の軒先まできて、ふと編笠をあげ、二階の小若をみた。

小若は、あやうく声をあげるところだった。

それほど男の視線はつよかった。食い入るように小若を見つめ、しかも表情を動かさない。小若は、このように魅力にとんだ男の顔をみたのは、はじめてだった。

「――――」

あわてて、障子をしめた。手の指さきまで動悸《どうき》がつたわるほどに小若はとりみだしていた。

小若は隣室へゆき、弥兵衛老人の枕もとにすわった。まだ、動悸が打っている。

「どうなされました」

病人は、敏感だ。小若は、さあらぬていで、

「お熱は？」

ひたいに手を触れてやった。

「もったいのうございます。道中で病んでしもうたばかりか、御寮人さまに看病などをさせて申しわけございませぬ。旦那さまが姫路で首を長くしてお待ちかねでござりましょう。あすには、なんとしても発《た》たねばなりませぬ」

「むりなことです。かゆの二椀もたべられるようになってから発ちましょう。姫路へは、飛脚をたてて事情をしらせることにします」

「悲しや」

弥兵衛は、涙をこぼした。律義な老人なのである。

弥兵衛は、姫路城下で有名な医家である下沢了庵《しもざわりょうあん》の用人で、このたびは、了庵

の長子閑庵の嫁である小若の旅の供をした。

小若の実家は、紀州橋本在の郷士丹生《にぶ》喜左衛門《きざえもん》方である。先月、紀州から急飛脚がきて、父の喜左衛門の危篤をつたえたので小若はおどろき、その日に姫路を発つほどに道中をいそいだのだが、実家についてみると、父は、すっかり元気になっていた。

心配していただけに、病後のやつれもみえぬ父の元気さをみて、かえって腹がたってしまった。

「おとうさまは、うそをおつきあそばしましたな」

父は、だまって微笑している。小若はその顔をみて、病気の一件はうそにきまっている、とおもった。むすめの顔を見たさのたくらみだったにちがいないのである。

「むこ殿は、息災《そくさい》か」

と父はきいたが、小若はだまっていた。息災にはちがいない。

が、小若がこの遠縁にあたる姫路の下沢家に輿入《こしい》れしてくると、むこの閑庵には、独身時代からかこっているめかけがいることを知った。

小若が紀州からつれてきた乳母がかぎつけて教えたのである。しかし小若は、ほこりのつよいたちだったから、とりみださなかった。ただ、そのことを知って以来は、夫の閑庵への愛情が急に冷え、いまでは、寝所に夫が入ってくることさえ、身ぶるいするほどの嫌悪をおぼえるようになっていた。

「仲がよいか」

と父がきいた。小若は、ただうなずいた。それだけで、父は他愛《たわい》もなくよろこんだ。

数日実家に滞留して、小若は姫路へむかって発った。

途中とまりを重ねながら紀州街道を北上し、いったん大坂に出て、尼崎への道をとった。

大坂から播州姫路へゆくには、まず尼崎に出ねばならない。尼崎への道は、大坂の天神橋から十三《じゅうそう》へ出、神崎村へまわってから尼崎へ入るのが本街道だが、弥兵衛老人が、

「早道をつかまつりましょう」

といって、大坂の西郊にある上福島村から海老江村、竜池の沼沢地を通って中津川の川下をわたり、野里村、大和田村、尼崎という脇街道をとった。

ところが、中津川の渡し船に乗ったころから弥兵衛の顔が土色になった。大坂の旅籠でたべた「かますご」がわるかったらしい。川へ吐いたが、あわせて熱も出、船が対岸についたころには、腰があがらなくなっていた。

やむなく小若は弥兵衛の体を船頭にかついでもらって、対岸の野里村へゆき、旅籠油屋で手当てしたのだが、病いは意外に重く、けさも、一椀のおも湯をたべるのがやっとだった。

「弥兵衛、気がねをすることはありませぬ。小若は、この村が気に入っているのです。女の身で、家をそとにして旅に出るなどは、一生ないといってもいいことですもの。体がすっかりよくなるまで、ここで逗留《とうりゅう》していましょう」

「おやさしいお言葉を」

弥兵衛は、病んで気がよわくなっている。すぐ涙をにじませるのである。

小若は、その涙をみて、胸が痛くなった。べつに弥兵衛をいたわってのことではなかったからだ。

本心は、姫路に帰りたくなかった。一日でも長く、自由な旅の空にいたいのである。

小若が見た例の旅の武芸者ふうの男は、彼女が二階の障子をしめたあと、すぐ旅籠の土間に数歩踏みこんできた。小女《こおんな》に、

「たらいはあるか」

「ある」

と小女は、土間の片すみを指さした。

牢人《ろうにん》は、足をあらい、小女から新しいワラジをもらってはきかえると、

「とまるのではない。あとからわしを追うて来る者があれば、左様な者は見かけなんだといえ」

そういい捨てたまま、ワラジ代もおかずに土間を通って裏口へぬけようとした。

小女があとを追うと、ふりかえって小女の眼をのぞきこみ、

「なんぞ用か」

ニヤリとわらった。小女が、思わずからだのうちが熱くなったほどのふしぎな微笑だった。

「あの。——」

というと、男の手が、小女の尻をなで、

「よい肉《しし》おきじゃの。きっと、村の若衆どもに騒がれているのであろう」

小女はその手からのがれようとしたが、からだが、硬直したように動かない。さきほどの小若のばあいもそうであったように、男には、そういう魅力があるようだ。

「いま申したこと、頼《たの》うだぞ」

行こうとする男の手を、小女は必死の様子でとらえた。一度つばをのみこみ、かすれ声で、

「汝《ぬし》は、よいおひとじゃな」

「よいかどうかは知らぬ。ほめてくれた礼に小銭の幾枚か呉《く》れてやりたいが、あいにく、びた銭ももたぬわな」

「もうし」

と声をかけたときは、牢人は足早に去り、夕闇《ゆうやみ》が濃くなっている竹やぶのむこう道に消えた。

そのあとすぐ、旅籠へ入ってきた平服の武士三人が、小女に、さきほどの男の人相骨柄《こつがら》をいい、小声で、

「その者、ここにとまっているであろう。たしかにこの旅籠に入るのを村の者が見かけている」

小女は知らぬ、といい、

「うそはつかぬ」

と、あとじさりした。

「この顔色は、居る、という色じゃ。家《や》さがししてみよう」

一人が二階へあがり、小若の部屋のふすまを、カラリとあけた。

小若は、はっとした。さきほどから、あの旅の武芸者を思いだしていたために、ふとその男が訪ねてきたか、と思ったのである。が、すぐ、冷静になった。そのはずがなかった。この男は似ても似つかない小男だった。

「なんのご用でございましょう」

「これは」

相手は絶句し、

「人ちがいでござった。じつはこの宿に逃げこんだ牢人がおり、旅籠のゆるしをえて部屋あらためをしていたのでござる」

「お役人様でございますか」

このあたりは、大坂城に在城する豊臣右大臣家（秀頼）の所領である。城下の船《せん》場《ば》あたりで盗賊を働いた者が、西国筋へ逃げるときに、この村を通ることが多いのであろう。

「ではない。大坂天満《てんま》で道場をひらく天流の桜井忠大夫《ちゆうだゆう》どのの門人でござる。道場に不都合を働いた牢人を追うて、当村まできたが姿を見失うてしもうた」

「そのご牢人様の」

「おおその牢人の？」

「お名前はなんとおおせられます」

「小早川家牢人岩見《いわみ》重《じゆう》太郎《たろう》と申す者じゃ。さてはそれらしき者をお見かけなされたのじゃな」

「見かけませぬ」

あの編笠の武士にちがいない。

（岩見重太郎、きいたことがある）

あとで、となりの病室へ入って弥兵衛老人にその旨をいうと、

「はて、岩見重太郎」

老人もくびをひねり、

「そのお名前のお人ならば、先年、丹後《たんご》の天《あま》ノ橋立《はしだて》にて仇討《あだうち》をし、大川八左衛門以下手だれの兵法者《ひようほうしや》を何人も討ちとった高名のご牢人ではありませぬか。しかしながら、それほどの高名のかたが、いかにご牢人とはいえ、いまどきこの野里村の街道を左様な風体をして歩いていようとは思えませぬ。おそらく、別人でございましょう。――もっとも」

弥兵衛はくびをひねり、

「それほどの岩見重太郎という方が、天ノ橋立で名をあげてこのかた、諸国を旅歴《りよれき》なされているのか、諸大名があらそって召しかかえようとなされても、行方も知れぬといううわさでござります。あるいは、いまいうそのお方が、岩見重太郎様かも

しれませぬな」

「弥兵衛は、物知りじゃな」

「これでも、以前は武家奉公しておりましたゆえ、武張《ぶば》ったうわさには、ついきき耳をたてて覚えておりまする。はて、世の中には名を騙《かた》る者が多いゆえ、それがはたして岩見重太郎やら、にせものやら」

「わかりませぬな」

「わかりませぬわ」

「しかし、もし真実、あのご牢人が岩見重太郎様なら、弥兵衛はどうします」

「御寮人さま」

弥兵衛は、心配そうに首をもたげて、

「さすがにお武家の家にお育ちなされただけに、御寮人さまは、武張ったはなしがお好きじゃ。しかし、どうやらフスマ越しに話をきくと、なにやらもめごとがある様子。たとえその岩見重太郎と申すお人がこの旅籠に投宿なさるとしても、ゆめ、ご介入なされまするな。武家はこわいものじゃ。刃物三昧《ざんまい》にまきこまれて、お怪我をなされては、この弥兵衛が、旦那さまに申しわけがたちませぬ」

「弥兵衛はあいかわらず取り越し苦労な」

小若はわらった。

「おなごの身で、武芸者どものけんかにかかわるはずがありませぬ。思うてもこわいことじゃ」

　そのくせ、小若のよく光る眼から、好奇心が消えていない。


　その夜、小若の部屋を三人の男がたずねてきた。

　案内役は、旅籠の亭主の油屋治郎八である。それに、野里村の村役人をしている年寄の雑魚屋《ざこや》十右衛門と、鎮守の住吉明神の当屋《とうや》をしている舟大工の五兵衛のふたりで、部屋の前の廊下にわらわらとすわり、

「もうし、ひめごりょうにんさま」

と治郎八が、障子ごしに声をかけた。

　このやどの亭主は、小若がとまった最初の日から、小若のことを「ごりょうにん」とはよばず、この男だけの独りのみこみで、

「ひめごりょうにん」

　とよんでいる。小若は宿帳に、播州姫路の医家下沢閑庵の内儀と書いているのだが、世間ではむすめが旅に出るとき、道中旅籠の者にあなどられないために、人妻と称することが多い。治郎八は、小若の娘々したわかさをみて、きっとそのでんだ

と思いこんでいるのだろう。処女とおもわれてわるい気はしないから、小若もそのままに聞きすてている。

小若は立ちあがって障子をあけ、三人を請《しょう》じ入れた。

「なんのご用でしょう」

小若は緊張していた。さきほどの牢人の一件だとおもったのだ。が、舟大工の五兵衛はおずおずと、

「あすは、宵宮《よみや》でござりまする」といった。

「わたくしめが、ことしは、明神さまの当屋を相つとめまする」

「当屋とわたくしとが、どんな関係があるのでしょう」

期待がはずれてがっかりした。

当屋とは、神事の当番ということで、古いやしろではたいてい、祭礼には、一年交替で宮座《みやざ》（氏子《うじこ》総代）からえらばれた当屋が雑務をつとめる。

「へい、その明神さまの」

と田舎のことだから、話がはかどらない。

小若はいらいらして、

「明神さまとは、あの森のお社《やしろ》ですね」

「いかにも左様で」

年寄の雑魚屋十右衛門がひざをにじらせ、

「その宵宮の祭礼が、あす二十日の夜中にとりおこなわれまする。つきましては、当夜、ひめごりょうにんさまに、犠牲《にえ》になっていただくわけには参りませぬか」

「犠牲？」

小若は、青くなった。

むかしの人身御供《ひとみごくう》のならわしが、この土地にはまだのこっているらしい。神に鮮魚野菜をささげるだけでなく、女を捧《ささ》げる。小若は、そういう遺習が、紀州淡島の明神にものこっているときいていたが、淡島では、そういう人身御供を、「一夜《いちや》上﨟《じょうろう》」といい、すでに形式化していた。十歳から十五歳ぐらいまでの少女七人を神にあたえるのだ。与えるといっても、神前に荒ごもを敷き、終夜神前ですわらせるだけのこととときいていた。

「淡島さまとおなじですね」

「いえ、この住吉さまは、すこしちがいます」

「どういうことをするのです」

「この摂州野里村では、左様な犠牲を一夜官女《いちやかんじょ》と申し、ひとりで神殿の裏のお籠《こも》り堂にて夜をすごしていただきまする」

「ただ、それだけですか」

多少の失望がなくもない。

「だとすれば、なにもわたくしを選ばなくても、この野里村には、よい娘御がたくさんおられるではありませぬか」

「土地のおんなでは、なりませぬ」

と当屋の舟大工が話をひきとった。

「ほかの土地から村にきた旅のお女中を犠牲にいたしまする。去年《まえのとし》には、この村に滞留するお女中がないゆえ、通りすがりのおなご衆を村の者が寄ってたかってうばい」

「うばった?」

穏やかではない。

「はい。とはもうせ、内実はおねがい申して、明神にささげたのでございまする。しかしながら、ことしは、幸《さき》のよいことに、まるで勢至《せいし》観世音のご化身のようなごりょうにんさまがこの旅籠にご滞留ゆえぜひともと、おねがいに参じたしだいでござりまする」

「だけど」

小若はくびをひねり、赤くなった。

「わたくしは、処女《むすめ》ではありませぬ。紀州淡島などでは、生娘《きむすめ》がよいと申します」

「淡島なら知らず」

舟大工が、不遠慮に顔を近づけてきた。この男だけは酒をのんでいるらしい。

「摂州野里では、おとこをお知りなされたお女中でもよいことになっておりまする。一夜官女とはもうせ、ただおこもり堂にて御寝《ぎょし》あそばすだけのことでよろしいのでござりまする。——しかしながら、おい」

と舟大工は、油屋に眼くばせした。油屋がうなずき、話をひきとって、

「……月のお障《さわ》りがありますれば」

「ばかね」

みなまでいわせず、小若は油屋をにらみすえた。顔がいっそう赤くなっている。

「左様なものは、いまありませぬ」

そう答えてしまったことが、この役目をひきうけたこととおなじことになった。

三人の村の者はよろこび、

「重畳《ちょうじょう》でござりました。ことしは、かようなうつくしいお犠牲《にえ》さまにありつき、きっと、五穀は豊穣《ほうじょう》で、川の漁、海の漁もゆたかでございましょう」

——物好きな。

と、あとで弥兵衛老人がおこった。

——旅の者を一夜官女にするというはなしをわしはほかでもきいたことがある。

聞けば、あとでおさがりと称し、村の若者が犠牲を犯すということでござりまするぞ。

「まさか」

小若は、相手にしない。

「弥兵衛、この野里は、中津川をひとつ越えれば大坂の殷賑《いんしん》の地ではありませぬか。摂河泉《せつかせん》七十万石の豊臣右大臣家のおひざもとで、そのようなことがあろうはずがありませぬ。それに、弥兵衛がこの村にきてから足腰が立たず、わたくしともども、滞留したというのは、野里のうぶすな神の神意でありましょう」

——ごりょうにんさま。あなた様のわるいおくせでござります。ご自分のお物好きを、弥兵衛のせいになさることはござりませぬ。ご自分がお好きでなさることゆえ、あとで旦那さまからしかられても弥兵衛は知りませぬぞ。

「よいとも」

小若は、はしたないほどに噪《はしや》いだ声をだした。

一夜官女の支度をする家を、この里では、おやど、という。ことしのおやどは、村年寄の雑魚屋十右衛門の家で、百姓屋敷ながら、小さな長屋門もあるりっぱな家だった。

小若は翌日、その十右衛門方にうつり奥の一室をあたえられた。金屏風《びょうぶ》がめぐらされ、火桶《ひおけ》をいくつも入れて部屋ぬくめがされており、小若の身のまわりは、七人の「けらい」と称する少女がうけもっていた。

けらいは、村の未通女《おぼこ》からえらばれる。クジで七人をきめ、小若に臣従するのである。服装は宮巫女《みやみこ》とおなじで、頭に金冠をつけ、白の小袖に緋《ひ》のはかまをはいている。

「わたくしは萩と申しまする。追い使うてくだされますように」

と、年がしらの少女があいさつした。七人の名は、萩、楓《かえで》、ききょう、きく、おみなえし、うめ、まつ、といずれも植物にちなんでつけてある。

やがて夜になった。

「お装束《しょうぞく》をつかまつりましょう」

と萩が小若の髪をすいて垂れ髪にし、白絹の下着を三枚かさね、その上に白綾の小袖を二枚着せ、上の小袖は肩ぬぎにして腰のあたりに巻き、いわゆる腰巻姿となった。御所の上臈というより、大名の奥方といったすがたである。

小若は、着せかえ人形のようにされるままになっていたが、ただ、少女がおはぐろの鉢をもってきたときだけはこばんだ。

「それだけは、いやです」

姫路の風習では、女は嫁《とつ》いでも歯を染めない。白歯のままで旅に出た小若が歯を染めて姫路にかえれば、それこそ夫の閑庵は叱るだろう。

やがて小若は文字どおり上臈すがたになり、金屛風の前にすわっていると、この村の二十四人の宮座の者が、いちいち拝謁《はいえつ》にきた。

控えの部屋まで進み出て、平伏する。小若は、教えられたとおり、ひとりひとり名前をよんで、声をかけてやるのだ。たとえば、

「橋ノ下の与左衛門であるか」

というと、

「へへえっ」

とひたいをタタミにこすりつける。なかにはありがたさに涙をこぼしている者もあった。自分たちが作った仮りの貴人に声をかけられて感泣しているのである。

おかしな村だとは思ったが、小若自身は、わるい気持はしなかった。大坂城にいる秀頼様の御生母とは、毎日こういう暮らしをしているのであろうとおもったりした。

それが済むと、小若はけらいの萩に、

「このつぎは、なにをするのです」

「戌《いぬ》ノ刻（午後八時）にこのおやどを発って明神さまにまいります」

「いよいよですね」

「いよいよでございます。でも、境内に入りますと、もうお言葉をおつかいあそばしてはなりませぬ」

その刻限になった。

小若は輿に乗せられ、そのまわりをけらいがとりまき、二十四人の宮座に供奉《ぐぶ》されて村のなかを一巡して、明神の境内に入った。

小若は、社前の荒ごもにすわり、その背後にけらいがならんだ。小若たちのまわりには、おびただしく庭燎《にわび》が焚《た》かれた。その火の群れのなかにすわっていると、ふしぎなもので、神の犠牲にあげられるというただならぬ気持になってゆく。

もっとも、犠牲は小若だけではなかった。神の食物もある。神饌《しんせん》という。夏越膳《なごしぜん》と名づけられる白木の膳に、コイ、フナ、ナマズの生魚が入れられ、さらに、串柿、水菜の芥子《からし》よごし、アズキの煮物、小餅が盛りあげられ、そのほか、酒、鏡餅、雑多な野菜がつぎつぎとそなえられてゆく。

やがて、ひなびた神楽《かぐら》が奏され、祝詞《のりと》があげられ、神事は半刻ほどでおわった。神事がおわると、すぐ庭燎が消された。

境内は浄闇になった。

萩が、無言で小若の手をとった。

「立て」

というのである。

萩に手をひかれて、社殿の背後にまわった。途中、木の根につまずき、あやうくころぶところだった。

「ここでございます」

こもり堂というのは、かやぶきの簡素な建物で、萩が観音とびらをひらいた。なかは、ぬりつぶしたような闇である。

「では、官女さま」

と萩は一礼し、

「よろしゅうございますか。なかに臥床《ふしど》が敷かれております。あけがたには当屋の者がお迎えにまいりますゆえ、それまでゆるりとおやすみなされますように」

萩が去ってから四半刻ほどのあいだ、小若は闇のなかで眼をひらいていた。

臥床は田舎にしては練絹の手ざわりのある豪奢《ごうしや》なもので、荒ごもの上に敷かれており、まくらが二つ用意されていた。ひとつは、明神のものなのだろう。

（おかしな気持）

小若は、ふしどの中でふたつのももをあわせては、ひらいてみた。神事をしているというより、ひどくみだらな感じだった。閨《ねや》でひそかに不義の相手を待つようなひそやかな血の高ぶりが小若のからだをひたした。相手は神とはいえ、冥々《めいめい》のうちに小若のからだをかきいだき、犠牲として媾合《まぐわい》する。これは不義ではないか。

そのとき、不意に部屋のすみで、人の動くけはいがした。小若は、とびおきた。

「どなたでございます？」

まさか、明神ではあるまい。さすがに心ノ臓がとまるような気がした。

「どなたかそこにいらっしゃいますね。どなたです」

「明神さ」

さびた低い声だった。小若は眼を一ぱいにひらいて闇をみようとしたが、なにも見えなかった。男は、板敷の上に寝ころんでいるらしい。

「明神さまですか」

小若は、懸命に落ちつこうとした。なんとなく安堵《あんど》する気持もあった。相手が近づいて来ようとする気配がなかったからである。声の様子では、悪い料簡《りようけん》の者ではないらしかった。

「なぜ、ここにいらっしゃるのです」

「明神だからよ」

ねむそうな声でくりかえした。その声が、小若をさらに安堵させた。もともと好奇心のつよいたちだから、冗談をいうゆとりもできた。

「明神さまならば、お姿をみせてくださいませぬか」

「面倒なことを申すな」

寝返りをうったらしい。

「神には姿がない。姿を顕示すれば、雷鳴がたちどころにおこって、お前のからだなどはつん裂かれてしまう」

「まあ」

小若は、はじめて笑った。

「住吉明神さまのおことばと申すのは、芸州なまりなのでございますね」

「そうだ」

「なぜでございましょう」

「芸州でしばらく暮らしていたからな。それよりもねむい。せっかくねむっていた所を、お前が入ってきて起こされた。しばらくだまっていてくれぬか」

「明神さまでも、おねむいのかしら」

「人間とおなじことだ」

「でも、今夜は、明神さまのおまつりの日ではありませぬか」

「そうらしいな。村の様子をみてわかった」

「のんきな明神さま。せっかく、お供物《くもつ》や犠牲《にえ》をささげておりますのに」

「お前が、にえかね。しかし、言葉のなまりをきくと、このあたりの者ではないようにおもわれる。それに、生娘でもなさそうな。察するところ」

と相手は起きあがり、石を打って、そばの灯明《とうみよう》に火を点じた。堂内が急に薄明るくなった。

「やはり、そうだったのか」

男がおどろくよりも、小若のほうが、眼を見はった。きのうの夕暮に旅籠の前で編笠をあげたあの牢人である。

「あなたは、岩見重太郎さま」

「いや、明神さ」

相手はまゆをしかめ、すぐ灯を消した。

「ずいぶん、旅よごれた明神さまでございますこと」

「凡下《ぼんげ》の眼には、そうとしかみえまい。明神というものは、いそがしいものだ。諸国の氏子の願《がん》をきいてやらねばならぬゆえ、旅をすることが多い」

「すると、どこかのお武家に追われて明神さまが逃げまわることもあるのでございますか」

「なに」

むっとしたらしい。しかしすぐ低い声にもどった。

「ときにはそういうこともある。世の中には物わかりのわるい人間どもが多い。そういう手合には逃げて身をかくすよりほかに手がないものだ」

「この街道すじには、明神さがしの人数がうろうろと駈けまわっているようですわ」

「そうかね」

相手は、不快そうな声をだした。

「だから、ここにいる」

「明神さま」

小若は、思いきっていってみた。あとで思いだして自分でも赤くなるほど、小若は大胆になっていた。

「そのような板敷の上にお臥《ふ》せりなさらずとも、ここに、明神さまのおまくらも、おふしどもございますのに」

「そなたは遊女かな」

なるほど、とおもった。遊女になりきってしまえば、小若も気が楽だった。自分でもはしたないと思うほど、あかるい声を出した。

「明神さまに枕席《ちんせき》をすすめる犠牲《にえ》でございますもの。神さまのあそびめ」

「では、頂戴《ちょうだい》しよう」

「え？」

小若はとまどった。

「なにを頂戴なさるのでございます」

「そなたというにえを、さ」

のそりと立ちあがるけはいがした。さすがに小若は身をひいて逃げようとした。いざとなれば、口ほどの度胸がない。

男は、ふしどをひらき、小若の横に入ってきた。小若の細いからだを抱きよせてから、

「なんじゃ、ふるえているのか」

失望したようにいった。小若は、臆病《おくびょう》な自分をいまいましいと思いながら、

「ふるえてなどはいませぬのに」

「口だけは達者なものだ。あわれゆえ、にえは食べずにおいてやろう」

「厭《いや》。お食べなされてくださりませ」

小若は、男の胸に顔をふせた。夫のそれとはまるでちがう厚い胸だった。垢《あか》のし

みこんだ異様なにおいがして、まゆをしかめた。

(きたない明神さまだこと)

「にえ、寒うはないか」

「明神さまのおからだにおすがりしていますと、あたたこうございます」

相手の手がのびて、小若の腰ひもを解き、下着をくつろげた。やがて下着のそでから小若のかいなが抜け、小若は声をあげた。

「あ、それでは」

男はだまっていた。裸形《らぎょう》にされた。婚家の閨では、このようにあつかわれたことがない。小若の胸に、うまれてはじめて味わうみずみずしい期待があった。が、口だけは別のことをいった。

「明神さま。そのように無体《むたい》な」

「にえは、だまっているものだ」

男の手が小若の下腹部に触れたとき、小若は張りつめていた息を、はじめて吐いた。

「ああ」

声が高すぎたらしい。男はおどろいて手をとめ、

「よいのかな」

「どのようにでも」

あえぎながらいった。

「神事でございますもの」

「そなた、あそび女《め》ではないな」

「厭。ご詮索《せんさく》はご無用なことでございます」

「声がうつくしい。諸処方々に旅をしたが、かようにうつくしい声のおなごに会うたことがない」

「明神さま、もそっと」

小若の声が小さくなった。

「つよう抱いてくださいませ」

「こうか」

男の所作が、あらあらしくなった。小若は骨身がくだけるかとおもった。ながい時間がたった。

そのどの瞬間も、小若はあとでおもいだすことができなかった。おそらく、魂が離れて天上に飛び去っていたのだろう。

やがて、男の体がはなれた。息がすこしもみだれていなかった。男は、地上の声にもどった。

「小若、と申したな」

やさしい声だった。小若は、男の右手の指をもてあそびながら、

「岩見重太郎さまでございますね」

男は、だまった。

「天ノ橋立で仇討ちをなされて、高名をあげられたほどのお方が、なぜ、あのような追手から逃げかくれなさるのでございます」

「そのことかな」

男はしばらくだまっていたが、やがて、

「殺生《せっしょう》というものは、きりもなく因縁をよぶものらしい。天ノ橋立で斬《き》った相手には、当然のことだが、それぞれ縁族がいた。その何組もの縁族が、こんどはわしを仇《かたき》よばわりしてさがすようになった。先日も、大坂城の大野修理亮《しゅりのすけ》どのの屋敷をたずねての帰り、船場の町を歩いていると、兵法の道場があった。なにげなく通りすぎようとした。ところが道場の武者窓から外をのぞいている者があり、その者と眼が合った。その者は不意に大きな口をあけおった。わしの名をよんだのよ。確かめるまでもなく、これはわしをつけねらう男のひとりに相違ない」

小若は息をのんだ。

「それで、どうなされました」

「逃げたわさ」

と、男は、闇のなかでくすりと笑った。その笑い声に、自分の力に対する強烈な自信が感じられた。小若はこの男の、

「逃げたわさ」

をきいたときにはじめて、いままで多少とも疑っていたことが晴れた。この男は、正真正銘の岩見重太郎にちがいない。

「小若、来《こ》よ」

男のかいなが、もう一度、小若の腰を抱いた。こんどは明神ではなかった。小若は、人間くさい英傑に抱かれることに前にもましてよろこびをおぼえた。もはや明神でなくなった男は、そのせいかひどく好色だった。さまざまなしぐさを小若のからだに加え、小若は、さきとはちがって、その一つ一つのよろこびを生涯わすれまいとして記憶した。

あとは、死んだようにねむった。眼がさめてみると、板戸のすきまから、かすかに朝の陽がさしはじめていた。

（あっ）

とびおきた。裸形である。あわてて下着に手を通そうとしたとき、ふしどのなかにすでに男はいなかった。

堂内のどこにもいなかった。小若は膝《ひざ》を折って髪をすきながら、

(夢だったのかしら)

しかし、まざまざと記憶があったし、もの憂い疲れがのこっている。

帯を締めおわったとき、観音とびらのそとで、人の気配がした。当屋の十右衛門にちがいなかった。

「十右衛門どのでございますね」

「左様でございます。お迎えに参上しておりまする」

「ただいま、出ます」

いそいで、ふしどのしわをのばした。からだが濡《ぬ》れていることに気づき、小若はひとり赤くなった。

旅籠に帰ると、村では事件のうわさでもち切りだった。

野里村の北のはしにある尼崎街道のそばの松林で、武士が三人殺されているという。

その殺戮《さつりく》の現場を、そのあたりに田のある早出の百姓が見たという。ひとりの男に、三人が一時に斬りかかったが、その男はまるで木の枝を薙《な》ぐような無造作さ

で、一合も刀をあわせずに、それぞれ真向から梨割りに斬りさげた。あとで検視の役人が死体をみて、斬り口のあざやかさに舌を鳴らしたという。

（あのお人にちがいない）

小若はおもったが、むろん弥兵衛にもいわなかった。

（やはり、岩見重太郎さまだったのだ）

なんとなくそのことを思うと、理由もなく涙がにじんできた。

芝居はおわったのだ。姫路に帰れば、ながい退屈な一生が待っているだろう。小若は、昨夜のことを悔いてはいない。女のつまらない一生で、一日でも劇的な日があれば、その思い出だけで生きていけるのだ、とおもった。

小若は、姫路へ帰った。

もどってみておどろいたことに、夫の閑庵は、町家にかこっていた女を、屋敷のうちに引き入れていた。

「なぜそのようなことをなさるのです」

「例の一件が」

と閑庵はまるでべつなことをいった。

「落着した。お城の医官になる」

かねて閑庵は、姫路城主池田侯の典医になることをのぞんでいたが、それが首尾よく行ったというのである。典医といえば上士格で、士分として生活するのだ。武士の屋敷は城廓も同然だから、妾《めかけ》を別の場所にもつことはできない。武家のしきたりどおり、屋敷うちに妾を同居させるというのである。

「武家ふうにいえば、あの者は、この屋敷の奉公人であり、そなたの家来である。左様に思い、可愛がってつかわすように」

「わかりました」

小若は、つめたくいった。

ふしぎなほど嫉妬《しっと》というものが湧《わ》かなかった。それよりもむしろ、この烏《からす》のような口をもった閑庵という小男が、自分のからだにからみついてくることから、すこしでものがれられることにほっとした。

しかし、小若にとって不快なことは、妾のぶんが懐妊したことだった。男子ならば、小若に嫡子がうまれないかぎり、それが下沢家の相続者となり、小若の老後は、その子に養ってもらわねばならない。

「そちはうまず女《め》じゃな」

閑庵は、小若にいったことがある。妻になって二年にもなるのにそのきざしもないとすれば、そうとしか思いようがない。

「わたくしには、子は要《い》りませせぬ」

と、負けぬ気でいったことがあった。閑庵は小若のそういう気のつよい点を好まなかった。

「子というのは、そなたのためのものではない。当家のものだ。要る要らぬなどとわがままを申すのは、そなたが自分のこと以外に物事を考えておらぬ証拠じゃ」

「そうかもしれませぬ」

「子も生《な》さず、気もつよいというのでは、まるで取る所のないおなごではないか」

姫路に帰ってから閑庵との仲は、日に日につめたくなっていた。

閑庵はあらたに城内に屋敷をもらい、いままでの屋敷には父が住んだ。

城内に移ってから、いままでの町住まいとはつきあう範囲がまるでちがってしまった。お城詰の上士が訪ねてくることが多く、自然、武張ったはなしが屋敷のなかできかれるようになった。

小若は、それらの武士の二、三人に、岩見重太郎のことを訊《き》いた。たれもが、その名前を知っていたが、

「はたして、いまどこにいるのか」

と、たれも消息を知らない。

「たしか風説ではあの仁《じん》は、小早川家の家臣某の子だというが、かんじんの小早川家の家臣どもが離散しているゆえ、さだかなことはわかりませぬ」

小早川家とは、関ケ原で西軍に加担していながら戦いなかばで裏切った金吾《きんご》中納言秀秋が最後の当主だった。関ケ原での裏切りの功により、家康から備前・美作《みまさか》五十万石に封《ほう》ぜられたが、関ケ原の役から翌々年の慶長七（一六〇二）年に二十六歳で没し、嗣子がなかったために家禄を没収され、家臣は諸国に散ってしまっている。

なかには、

「はたして岩見重太郎という者が現存するかどうかもわかりませぬな。天ノ橋立の武功のときも、他の武芸者が、仮りにそう名乗ったのかもしれませぬ」

小若は、ひどく心細くなった。

「あるいは諸国に、あの者の存否があきらかでないまま、われこそは岩見重太郎であるとして詐称している者が何人もいるかもしれませぬな」

（いいえ）

と小若はつよく思った。

（あのおひとが、正銘の岩見重太郎さまにちがいない。でなければ、あれほど武辺なはずがあろうか）

それから一年たった。妾のぶんが分娩《ぶんべん》した子は男子だった。武家のしきたりとして、小若は正夫人としてその子の母になったが、下沢家の現実では、閑庵と妾とその子が中心になり、小若は孤独になった。

閑庵の態度はいよいよ冷たくなり、小若には相談せずに、紀州の実家と話しあいをすすめている様子だったが、慶長十九年の夏、ついに紀州の父の使いの者がきた。小若をひきとりにきたのである。閑庵は、

「小若、しょせんは縁が合わなんだとあきらめてくれるように。存念はあるか」

「ございませぬ」

「これをもて」

去り状を渡された。小若は、むしろはればれとした。好きでもない夫と添いとげるよりも、実家で気ままに世を送るほうがどれほどましかもしれなかった。

途中、摂津野里村を通った。

そのあたりの風景が、まるでふるさとのように懐しかったが、すれちがうどの村人も小若の顔をわすれていた。小若はむしろそのほうが気が楽だった。

上福島村から天満川を渡れば、大坂の地である。

紀州の父は、大坂の船場の旅籠に逗留して小若を待っているという。

「ごりょうにんさま、急がれませ。おてて親さまがお待ちでござりまするぞ」

と供の者が馬をさがしてくれたが、荷駄の馬はおろか、どの馬つなぎ場にも、一頭の馬もなかった。

「どうやら、右大臣家では関東とお手切れあそばすげにござりまするそうな。荷駄の馬はすべてお城に買いあげられたと申しまする」

土佐座から、町に入った。町にはあふれるほどの人がいた。

城内に兵糧《ひょうろう》を入れる人夫や、路ばたにムシロを敷いて武具を売る者、それを買いもとめる牢人衆など、どの街路も人で身うごきがとれず、わきたつようなにぎやかさだった。

途中、何度も茶店でやすむたびに、供の者はさまざまなうわさをきいてきた。

「なにしろ、諸国の御牢人衆が十万人も入城なされたそうじゃ」

そのなかには、小若でさえ名を知っている高名な牢人が何人かいた。

「後藤又兵衛さまなどは、ながらく京や伊勢で乞食をなされていたが、入城と同時に一手の大将におなりあそばしたそうじゃ」

「そのなかに岩見重太郎さまはいらせられませぬか」

「はて、岩見。聞いておきましょう」

船場本町橋の東にある旅籠丸屋源兵衛方に父はとまっていた。小若を見ると、なにもいわず、

「屋敷の栃《とち》の花が美しゅう咲いておるぞ」

といった。また、

「せっかくの旅じゃ。めったに大坂などには来られぬゆえ、数日見物してゆこう」

「でも、このように騒がしい様子では」

「なになに、それも一興じゃ」

郷士ながらも父は武士なのだ。豪毅なところがあって、この戦さ支度のさわぎがすきでならない様子だった。それに町には戦さ景気のために田楽《でんがく》法師や歌舞伎踊りの女、くぐつ師や放下僧《ほうかそう》などの旅芸人がおびただしくあつまっていて、平素よりもおもしろかった。

「気晴らしによいわ」

父は、小若の傷心をどのようにしてなぐさめようかとそのことばかり考えている様子だった。
二、三日逗留するうち、例の供の者がおもわぬことをききこんできた。
「ひとのうわさでは、御譜代《ごふだい》の薄田隼人正兼相《すすきだはやとのしょうかねすけ》さまが、もとは岩見重太郎と名乗られていたと申しまするぞ」

この者の聞きこんだところでは、薄田兼相は、山城国の郷士の出であるという。秀吉の死後、薄田家の縁族が豊臣家につかえ、若狭守に任官するほどの出世をしていた。兼相はながらく浪々の身であったが、二、三年前、その縁によって仕官し、大野治長の与力としていまは侍大将をつとめる身分であるというのである。

「ご当人がそう申されるのではなく、まわりの者がうわさを立てたらしゅうございます」

「そのお方にちがいありませぬ」
二、三年前に豊臣家に仕官したとあれば、あのころと時が合う。それに、あのこもり堂で、あの者は、「大野修理どのを訪ねたかえり路」といっていたではないか。仕官のことで訪問していたにちがいない。
「その薄田様に、ひと目お会いしたい」

と小若は、父にせがんだ。

「なぜじゃ」

「わけは問うてくださいますな。小若にとっては、だいじなおひとでございます」

「左様か」

父は事情はきかなかったが、むずかしい顔をした。田舎長者の分際《ぶんざい》では、とうてい会える身分の相手ではない。

「一人、心あたりはある」

御先手組《おさきてぐみ》にいる者が遠い親戚《しんせき》にあたることをおもいだし、その者を通じて運動してみようと思った。

「だいぶ日数がかかることじゃぞ」

といったが、意外にも返事が翌々日にきたのは、やはりその間に立つ者たちに金をずいぶんつかったせいだろう。

その当日、隼人正から迎えの者がきた。

屋敷は、大坂城の二ノ丸のなかにあり、小若は、玉造口《たまつくりぐち》の城門から入った。

屋敷に入ると、すぐ書院に通された。ほどなく隼人正兼相が出てきた。

小若は、おもわず立ちあがりかけた。

（このかたに、まぎれもない）

しかし、兼相のほうは、不審そうな顔をして、

「そのほう、予を存じておるというが、ついぞ覚えぬ顔であるな」

声が、まざまざとあの夜の声だった。小若は顔をあげ、ひざをにじらせて、

「あの夜の一夜官女でござりまする。あなたさまは、明神さまではありませぬか」

兼相の顔色が動いた。

眼が大きく見ひらかれたが、すぐ表情をことさらに消した顔つきになった。

「知らぬ」

「あなた様は、岩見重太郎さまではござりませぬか」

「これ」

兼相は手をあげ、

「世上、そのようにうわさをする者があって迷惑しておる。かつて諸国で岩見重太郎と称し、武辺を誇って人を殺傷する者があったときくが、予は左様な者ではない。しかし人違いとはいえせっかく訪《おとの》うてくれたのに、このまま帰すのも本意がない。茶など馳走《ちそう》しよう」

小若は邸内の茶亭に通され、茶道の者の接待をうけた。やがて茶道の者がさがると、長身の兼相が入ってきた。いきなり、

「小若」

と押し倒した。

「な、なりませぬ。ひとが参りますほどに」

「人ばらいをしてある。あのときは家来の者がいたゆえ、明かせなんだ。わしは、野里の住吉明神じゃ」

「あの夜がなつかしゅうございます。もう一度、お会いいたしとう存じておりました」

抱擁がおわると、兼相は小若を抱きおこし手ずから櫛《くし》をとって髪をすいてやった。小若は、あれからのちのながい物語をした。

やがて、陽が西へ傾いた。小若は兼相の胸にもたれながら、

「このまま、小若をお屋敷に置いてくださるわけには参りませぬか」

「わしも、そう思うた。が、いずれ戦さがはじまり、この城は天下の兵をひきうけて戦わねばならぬ。この逢瀬《おうせ》を最後にしたほうが、そなたの身のためじゃ」

「あなた様とこのお城で死ぬならば、小若はいといませぬ」

「そのことは諦《あきら》めよ」

茶亭を出るとき、ふと小若が、

「あなたさまがまことに、岩見重太郎さまでございますか」

「ちがう」

と弱々しくいい、

「そのようなことは、どちらでもよいではないか」

小若をもう一度抱きすくめ、

「わしは、住吉明神よ。そなたは」

「一夜官女でございまする」

「それだけでよい」

「それだけでは厭」

「ひとの一生というものは欲をいうてはキリがない。そなたは、姫路にかたづいてたとえ生涯前夫と連れ添うよりも、あの夜の思い出のほうが重いというた。わしもそう思うぞ」

そのことばが、小若が記憶している薄田兼相の最後のことばになった。

小若が紀州に帰ってほどなく大坂冬ノ陣がおこり、つづいて翌慶長二十（元和元＝一六一五）年夏に、摂河泉三州の平野を戦場に、東西三十万の武者がたたかい、大坂の落城とともに豊臣家は滅亡した。

薄田隼人正兼相が、五月六日早暁、軍兵四百をひきいて河内道明寺《どうみょうじ》付近に進出した東軍の水野勝成、伊達政宗、松平忠明の諸隊とたたかい、鬼神のはたらきをしたあげく、水野勝成の馬廻りの士河村新八らに首を授けた、といううわさを小若がきいたのは、ちょうど屋敷の庭の栃の花が、前夜の嵐ではげしく地に散り敷いた朝のことであった。

駿河御前

末の妹の旭《あさひ》が縁づいたころは、長兄の秀吉はそのあたりにはいない。

「おまえには、七つ年上の兄がいる。ちゃんと犁鍬《すきくわ》をにぎってくれれば、親がわりにもなってくれるであろうに」

と、母親のお仲はこぼしたであろう。お仲にとっては秀吉は亡夫弥右衛門とのあいだにできた子であり、そのため、弥右衛門の死後添うた竹阿弥《ちくあみ》に対し、この秀吉の存在について気をつかい、瘦《や》せるおもいがした。さいわい、というべきではないかもしれないが、その秀吉は竹阿弥をきらい、まだ少童のころに出奔してしまっている。その後、針売りをしたり、三河万歳の才蔵になってあるいたり、焼きもの屋の奴隷として身を売ったり、尾張の浮浪人結社ともいうべき蜂須賀《はちすか》小六の仲間に入ったりして、いかがわしい社会を転々としていたらしい。

その秀吉が尾張にもどり、織田家の小者としてつかえたあと、ほどなく妹の旭は結婚している。

――ちかごろは、清洲《きよす》の織田さまのお長屋にころがりこんでいるらしい。

というわさは中村在《ざい》にもきこえていたが、かといって旭のために頼りになるような存在ではない。

――名を、ちかごろは藤吉郎とあらためているそうな。

ときくうち、やがて下士に取りたてられ、木下の姓を名乗るようになったともきいた。その間、むろん当人自身がこの中村にもやってきている。

旭の嫁ぎさきにもやってきた。ここか、ここが旭の家か、と藤吉郎は口やかましく独りごちながら入ってきて、舅《しゅうと》にも如才なくあいさつし、亭主にも、やあやあと肩を抱かんばかりの親しみをみせた。

(騒々しいおひとだ)

旭は、この親しみのうすい兄を、ただそういう目でみた。極度な内気で、兄に声をかけられても羞《はずか》しさがさきに立ち、だまってうなずくか、いそいでかぶりをふるか、どちらかでしかなく、まとまった言葉かずを喋《しゃべ》ったことがない。

「おれは、旭の声をきいたことがないわい」

と、藤吉郎はいった。

「たれに、汝《われ》は似たかのう」

多弁な兄と、あまりにもちがいすぎているが、容貌《ようぼう》の点でもそうであった。旭は、幸い藤吉郎の奇相とは似ておらず、この同胞《きょうだい》のなかでは目鼻はいちばんととのっており、色も野仕事で焼けてはいるが根は白いらしい。目もとは、実父の竹阿弥に似ているのではないか。が、藤吉郎は先年死んだこの義父がよほどきらいらし

く、そうと感じても、

——竹阿弥似だな。

とは、おくびにも出さなかった。しかしたれに似ていようと、藤吉郎は旭については末の妹のせいか、よほど可愛いらしい。

「早う、子をうめ」

そう言いながら、兄というより男のなまぐささをふくんだ目で、この小柄な妹の腰のあたりをながめまわした。小柄ながら総体に肉づきがよく、腰のあたりが果汁をふくんだようにみずみずしい。これほどのからだを亭主にあたえながら子をうまぬというのはどういうわけであろう。


藤吉郎が織田家の中級の将校として墨股《すのまた》の砦の長《おさ》になったときは、かれの二十八であったか、九であったか。このときはじめて藤吉郎は中村に住むお仲以下の血縁をこの城にまねき、数日滞留させてもてなした。墨股は野戦用の砦で、黒木の丸太を組みあげただけの粗末な造作であったが、それでも中村の小百姓の嫁である旭の目には、金殿玉楼のようにみえた。

その中村の一行が帰ったあと、妻の寧々《ねね》が、

「旭どののおとなしさ」

といって笑った。あの年上の義妹は、滞在中、なにごとにも諸事微笑をもらすだけで、ひとことも言わなかったのである。

（ひょっとすると、あほうではあるまいか）

寧々はおもうのだが、藤吉郎は、いやさ含羞《はにか》んでおるのであろう、とわが身内だけにそのような解釈をおしつけた。

しかし藤吉郎にとって、旭よりもいっそうに関心があったのは、その亭主であった。源助といったか、嘉助といったか。

侍にしてやろう。

と、かねがねおもっていた。藤吉郎もいっぱしの物頭《ものがしら》のはしくれになった以上、血族、縁族をひきよせて家臣団の中核にしてゆきたい。かれの出身がもしうまれながらの士分かこのあたりの地侍《じざむらい》なら、父祖代々の郎党もおり、分家群もあり、それを従えて鞏固《きょうこ》な家臣団を形成してゆくのになんの苦労もいらぬ。しかし浮浪人あがりの藤吉郎にすれば、いま大いそぎで自分の身辺を見まわして侍をつくってゆかねばならなかった。そのため寧々のほうの身内から、彼女の義弟の浅野長政（芸州浅野家の家祖）や叔父の杉原七郎左衛門（のち、福知山城主）を採用し、この墨股でそれぞれ重要な部署につかせている。藤吉郎の身内では弟の小一郎をいまから教育しようとしているが、これでも足りない。旭の亭主はどうか、使えるならつかいたい、と藤吉郎は期待していた。

(が、どうにもならぬ)

と、こんどの墨股招待を機会によくよく観察してみたが、どうにもこれは望みがありそうにない。目鼻だちは人間だが、あたまは牛馬とかわらず、しかも牛馬ほどの力もなく、瞳がどろりとつねに居すわっている。侍は才能がかんじんであるのに、これではどういうしごともできぬであろう。

(所詮《しよせん》は、百姓か)

とおもい、その失望のぶんだけ旭があわれになった。せめて帳付けでもできそうな亭主であったら、たちまち納戸《なんど》の出し入れか荷駄の宰領ぐらいにはつかってやるのに、それもならぬとあれば、旭は生涯あの亭主のために田を這《は》いずりまわらねばなるまい。

もっとも藤吉郎はそうは失望したものの、根は人間に対して底ぬけな好意をつい持ってしまうたちだから、

「どうだ、木下姓を名乗れ」

と、いってみた。おれの同族にしてやる、という意味でもあり、武士にならぬか、という意味でもある。しかし旭の亭主は冷笑をうかべて、いや根がそういう顔つきらしいが——かぶりをふり、

「結構でおじゃります」

とにべもなくいいおった。きらいか、ときくと、きらいもすきも、わしが家には祖父《じじい》も祖母《ばばあ》も父《とう》も母《かか》も先祖の位牌《いはい》もおじゃりまするでな、といった。つまり小百姓ながら独立の家である、そうやすやすと嫁方の家に身売りするようなまねはできませぬという意味であろうか。その意味であるとすれば、このとるにも足らぬ男にも、やはりそれなりの自尊心というのはあるのであろう。

――勝手にせい。

と腹が立ち、すてておいたが、その後十年あまり秀吉が戦場を馳駆《ちく》するうち、織田家の勢力が大きくふくれあがり、秀吉の事情も大いにかわってきた。信長が近江の浅井氏、越前の朝倉氏をほろぼしたあと、はじめて自分の軍司令官たちに分国をあたえたのである。柴田勝家は越前を、明智光秀は南近江を、秀吉には北近江をあたえた。秀吉は琵琶湖畔の長浜に城をきずき、ここではじめて城持ちの身分になった。その封土は二十万石である。もはや新興貴族というべきであろう。

（旭を、あのままには捨てておけぬ）

哀れでもある。それにすでに、弟小一郎だけでなく母親も姉もよびよせている。世間体もどうかとおもわれる。二十万石の大名たる者の妹君が、いつまでも、尾張中村の水呑み百姓の嫁であってよいものであろうか。

「伯耆《ほうき》、なんとかせい」

と、秀吉は命じた。伯耆、とたいそうな呼称でよばれているが、この者は寧々の叔父の杉原七郎左衛門家次であった。武士としては能がないまま、羽柴家——秀吉はこの長浜就封《しゅうほう》いらい、そういう姓にあらためている——の家宰をしている。

伯耆はさっそく尾張にくだり、旭の亭主に会い、

「ありがたく思え。そなたを侍にお取り立てくださる」

と、申しわたしたところ、亭主はにぶい表情で押しだまっている。どうした、と杉原伯耆が声をはげますと、いやでおじゃりまする、とかぶりをふった。

「わけをいえ」

と伯耆はなかば叫ぶようにいうと、この百姓に理由などはなかった。要するに一つ所から動くのがいやなのであり、環境がかわるのがひたすらにおそろしいのである。

それを伯耆はなだめすかすようにしてやっと長浜移住を承知させた。長浜ではお屋敷が用意されており、遊んで暮らせばよい、しかし武家らしく姓が要《い》る。その姓も、杉原伯耆は用意してきていた、佐治《さじ》というのである。

佐治というのは鎌倉期以来この尾張で栄えていた名族で、国内の苅地《かりち》村にその佐治氏の城址も残っており、いまは勢力はないが、それでも織田家の家中でこの姓を

名乗る者が多い。そのなかで神職があり、杉原伯耆はとくに頼んでその姓をあたえてもらい、そのうえでここへやってきた。

紋所は、軍扇《ぐんせん》である。その定紋を入れた侍装束一式も伯耆は準備してきていた。結局、この亭主は侍にされた。

佐治日向《ひゅうが》である。

しかしながら、長浜での屋敷暮らしがよほど適《あ》わなかったのであろう。佐治日向は移住後ほどなくいったんは肥り、やがて以前以上に痩せ、日照りに灼《い》られた青菜のように萎《な》えたまま死んでしまった。それに前後してこの男が中村から連れてきた両親も死に、せっかくの佐治家も絶えた。旭は、羽柴家にもどった。

羽柴家の家中や長浜城下では、寡婦になった彼女を、

「旭姫」

と、よんだ。姫といっても、なが年の日焼けじわは化粧では覆えず、齢も三十を幾つか越えており、その尊称に相応《ふさ》うはなやかさなどはもはやない。しかも夫の死がよほどの打撃であったのか、表情がつねに暗く、齢よりも老《ふ》けてみえた。

（どういう心境《つもり》でいるのか）

秀吉ほどの人の心の底がわかる男でも、この無口な妹がいまどのような心情でいるのかが、見当がつかない。結局はあたらしい夫をあたえてやればよかろうと思い、家中を物色するに副田《そえだ》甚兵衛という者が妻をなくして寡夫《やもめ》でいることがわかった。

秀吉の意を体し、このときも杉原伯耆がこの縁をまとめることになった。

副田甚兵衛の身分はもともと羽柴家の家来ではなく、以前信長の直参《じきさん》として秀吉に付せられていた男だが、秀吉の長浜就封いらい、羽柴家の直々《じきじき》になった。

(たいした男ではない)

と、秀吉はその点が不満であった。武者としてはごく並みな男で、将来とうてい城持ちなどにできる器量はない。しかしただひとつの魅力は、尾張の副田氏といえば愛知郡の名族である。秀吉は、血の高貴さを欲した。副田氏程度が高貴、というのはおかしいが、この時期の秀吉の地位からいえば、その程度で十分高貴であったといっていい。

ただ当の副田甚兵衛そのひとが、この縁談に気乗り薄であった。

「それは、こまる」

と、きっぱり伯耆にいった。理由は自分には器量がなく、ひともそのことはよく知っている、もし将来自分が多少の立身をするとすればひとはこの副田甚兵衛の功名手柄のせいでなく女房の縁に縋《すが》っての栄達であるというであろう、そうおもわれるだに男として堪えがたい、この縁は聞かざったことにしてくだされ、といった。

(存外、気骨のある男よ)

と、そのはなしをきき、秀吉は甚兵衛を見なおすおもいがした。いかにも愛知郡の地方名門の出らしく利《き》かぬ気な男ぶりではないかと、この縁をこのまま捨てるのが惜しくなり、

「どうだろう、いまひと押し」

といった。いわば、上意である。伯耆はそのように副田甚兵衛に伝えた。甚兵衛もここまで押されれば服せざるをえない。

娶《めと》ってから、これほど奇妙な女もあるまいとおもった。武家そだちでないために、こまごまとしたしきたりがわからない。武家には年中行事が多く、たとえば八朔《はっさく》の日や嘉祥《かじょう》の日にはどういう家庭の行事をし、自分はどういう衣装をつけ、夫にはどういう容儀をさせねばならないかがわからず、そういう知識だけでなく、おぜいの副田家の家従たちを宰領してゆく能力もない。もっともそういう武家の主婦としてのしごとは、彼女についてきた老女がすべて代行し、その下の侍女が手足になって立ち働いた。その点をまかなうために羽柴家から化粧料という格別な禄がついてきている。

旭は、終日居間にすわってただ呼吸をしているだけである。秀吉のさしがねらしく、歌学や手習いの師匠がついているが、しかしそういうことにも興味がないらしい。この女は、からだだけでなく心までも弾力をうしなっているのであろう。

(どこをどう押せばどんな音《ね》が出るということがすこしもわからぬ)

妖怪のようなものだ、と副田甚兵衛は最初おもった。しかし、これから生涯連れそわねばならぬ以上いうべきことは言わねばならぬ。ひと月ばかりして、甚兵衛はおもいきっていってみた。

「もうすこし、弾《はず》まぬか」

甚兵衛のいうのは、悲しければ泣き、うれしければ笑え、身ごなしなどもいきいきとせよ、ということであった。が、旭は無言でうつむいているだけである。その夜、閨《ねや》でもおなじことをいってみた。

「どうだ」

と、やさしく念を押してやった。甚兵衛はこの時代の武士にはめずらしく女の気持に対し、繊細な心くばりができる男であったらしい。それが、旭の心のどこかを、にわかに溶かしたのであろう。

「つらいのでございます」

と、急に叫ぶようにいった。その声の大きさに甚兵衛がおどろいたくらいであった。旭ははげしく悶《もだ》えている様子だったが、のぞきこんでみると、歯をくいしばっている。泣いている様子であった。なにがつらいのか――と声をひくめてきいてやると、堰《せき》がくずれたようにはじめて泣き声をあげた。

（これが、この女の泣き声か）

まるで童女にもどったような、無我夢中な泣き声であった。甚兵衛は、旭の肩に手をそえてやり、その声に聞き惚れるようなおもいを持った。まぎれもなく人間のおんなの声であった。

「夜あけまでたっぷり刻《とき》がある。泣きたければ泣け。なにか言いたければ言え。わしを他人とおもうな」

そういってやると、旭はすこしずつ唇の奥で言葉を綴《つづ》りはじめた。聞いてみると、おどろいたことに御当家にきて自分は気を張りつめすぎている、それがつらい、という。

（……そうか）

と、甚兵衛は、意外であった。旭の実家は従五位下《じゆごいのげ》筑前守、所領二十万石という大名の家である。副田家は織田家にあるころは百石にすぎず、いまは二百石の家にすぎぬ。二十万石から二百石の家来の家に来て気が張り、ほとんど精神を喪失させてしまっていたというのはもはや椿事《ちんじ》であろう。

しかし、わからぬこともない。旭の生家は尾張でも最下等の水呑み百姓である。その最初の婚家も、それにかわらない。その世界で住みくらしているかぎり、旭もらくらくと世が送れたであろう。

ところが、異父兄の秀吉が、旭とはなんのかかわりもない世界で出頭人《しゅっとうにん》になり、異数の立身をとげていまや織田系の大名として天下に知らぬ者のない存在になった。このために旭の運命も境遇も一変した。長浜にひきうつると、御料人《ごりようにん》とよばれる身分になった。前夫の死後、その生母とともにここ一年城内で住み、多くの侍女にかしずかれた。すべては、夢の中のできごとのようである。侍女たちはみな尾張や近江の武家の出身者で、すべてが旭とはちがっていた。旭は、彼女らのような室町風の武家ことばが使えず、このため無口な性分が、いっそうに無口になった。そこへ縁談《はなし》がおこり、家臣の副田家にとつがねばならぬという。旭の否応《いやおう》もなく秀吉がきめ、

「副田家はなんといっても名家だ。行儀や武家のしきたりなど、いそぎ習っておけ」

といい、近江京極家にむかし仕えていたという老女におしえさせた。しかしながらその煩瑣《はんさ》なことはどうであろう。たとえば主人と同室している場合、鼻をかむにも次の間に立ちのいてかまねばならぬ。そのかみ方も懐紙をとりだし、最初は低く

かみ、つぎにはやや高く、またつぎには最初にもどってひくくかむ。三段にかむのである。すべてがこうである。尾張の野良にいたころ、紙など百姓家にはなく、すべて手洟《てばな》で吹きとばしていたことをおもえばなんという境遇のかわりかたであろう。

その緊張が、副田家にきてからいよいよ強くなり、血のめぐりが凝りついたのか、舌の根もうごかず、身うごきも教えられたようにならず、そのために無言ですわりつづけているほかなかった、というのである。

（いいおんなだ）

と、甚兵衛は目のさめるようなおもいで、この小肥りの女房を見た。おのれは従五位下筑前守の御妹君であるということを、まるで知らぬかのごとくしてこのように身を固くしつづけてきている。

「よくわかった。しかし詮もない」

と、甚兵衛は笑わず、声をいよいよ低め、できるだけきまじめな声でいった。行儀作法というのは恥をかくまいとおもえばこれほど身を労するものはない。恥をおそれず、手違いをおそれず、おおらかにふるまいながらすこしずつ直してゆけ、これが、かんどころである。わしも教えてやるゆえ、悪《あ》しき弟子になれ、よき弟子になろうと思うな、といってやった。

「わしがそなたを育ててやろう」

といったが、甚兵衛にとってこれは旭への気やすめではなく、しんからこの女を武家女房に仕立てることに熱意を感じた。

甚兵衛は、家にいるかぎり、そのことに気をくばり、旭を教導した。が、なにしろ若くもなく、三十数年を百姓女ですごしてしまった旭を、いまさらべつな女に仕立ててゆくことは、野のけものを家畜にするよりも困難であった。甚兵衛はそのことに情熱を感じた。

一方、公的生活者としての甚兵衛はさほどに立身もせず、婚姻後ほどなく五百石に加増されたほか、どれほどのこともない。

羽柴家が軍団である以上、これはやむをえなかった。たとえば千石ならばその家来や付与された足軽一組ぐらいをひきいてすでに一個の戦闘単位の隊長であり、戦場では単に勇敢であるだけでなく戦術も用いねばならない。その器量なしに甚兵衛を千石にすれば家中の士気にかかわるだけでなく、戦場での軍団の活動にひびいてくることであり、秀吉も情実をもってはこの甚兵衛に特別の待遇はあたえられない。

「世の乱がおさまれば、城のひとつもやる」

と、秀吉は旭にはそう約束していた。平和な時代がくれば無能の者にどのような高禄をあたえてもさしつかえないであろう。

この後、五年経《た》った。秀吉は信長の命で中国征伐の司令官になり、近江を出発して播州（兵庫県）にくだるとき、甚兵衛を戦列からはずし、長浜の留守をさせ、領国の民政を担当させた。これは多少適任であったかもしれない。そのさい、石高を増して七百石とした。

そういう分限《ぶげん》であったが、副田家は石高の実際よりもはるかに裕福であった。旭に庫米《くらまい》がついているからであった。この庫米のおかげで旭は十分小《こ》大名の暮らしができたし、甚兵衛はむろんその余沢《よたく》にあずかっていた。

甚兵衛はこのころ多病で、もう戦場にゆけるからだではなくなっていた。しばしば熱を出し、出せば十日以上は伏《ふせ》ったが、旭はこういうばあいになると、まるで水に戻った魚のようにいきいきとし、懸命に手当をした。

（看病をさせると、このおんなほどの女房はあるまい）

と甚兵衛はひそかにおもった。旭は依然として、野臭《やしゅう》がぬけず、どうにも武家婦人としては板につかなかったが、しかし病人の看病には室町風などの束縛がないから旭にとってはむしろ解放されたようなおもいでの献身だったのであろう。

子がない。

この点は、甚兵衛も迷惑であった。旭が石女《うまずめ》であるらしいということがたしかになった以上、普通ならばしかるべき女を奉公させ、それによって世嗣《よつぎ》をつくり、副田家の祭祀《さいし》を絶やさぬようにせねばならない。それが必要事であり、必要以上に美々しくさえあるのだが、しかし甚兵衛は秀吉の妹をもらっているということで遠慮をせねばならなかった。

「そなたは、どうおもう」

と、旭に武家の慣習を教えつつ、それとなくいってみたことがある。甚兵衛はいう、しかるべき武門の家というのは家名と祭祀の絶えぬことを第一に考えるべきであるが、後嗣のないばあい、正室としては自分の気に入りの侍女のひとりを夫にさしだすのが通例である。そういうと、旭はかねがねそのことを気にしていたのであろう、ものもいわずに泣き伏してしまった。相変らず意思を明瞭《めいりよう》にいわないが、そのいわば童女のような哭《な》き方が、すでに激しく否《いな》を表明していた。

(やはり、だめか)

この一点では、甚兵衛も旭を教育することはできぬらしい。どうにも順《したが》わぬところをみると、これは本来の妬心《としん》によるものではなく、やはり育ちが武家ではないからであろうとおもった。武家育ちならば妬心の抑制は庭訓《ていきん》としておこなわれてきているし、家系を維持することの重要さもからだのなかでわかっている。

(所詮は、百姓のむすめだ)

と、こんなときこそおもわざるをえないし、いまひとつただの百姓の出より始末にわるいことには、その兄が甚兵衛の主人の筑前守であるということであり、このためむやみとは強行できぬ。

「兄にも、子がありませぬ」

と、旭は泣きじゃくりつつ、ひとことだけいった。なんの、それとはちがう、と甚兵衛はおもうのである。羽柴家などは、織田家譜代の重臣丹羽長秀の羽と、柴田勝家の柴をとってつけただけの姓であり、氏も素姓もない。しかしながら副田家は小なりといえども鎌倉期からの家で信長の織田家よりも家系が歴然としている。実家の羽柴家の感覚で考えられてはこまるのである。

が、これはいったところでどうなるわけでもなく、甚兵衛はそれ以上はだまっていた。

四年後に、大変事がおこった。

天正十（一五八二）年六月二日、織田信長がその家来の明智光秀のために京の本能寺で斃れたのである。

光秀は、この変後、織田家の根拠地である近江をおさめようとし、五日その部将の明智光春をして安土城を襲わしめた。城の留守は、織田家の蒲生《がもう》賢秀《かたひで》がまもっていたが、兵力不足のため明智軍の来襲以前に城をすて、信長の側室二十人、侍女数百人を護衛して同国蒲生郡日野の自城にしりぞいた。安土城の北隣は、織田家の重臣丹羽長秀の居城の佐和山だが、これも留守の人数だけであったために捨て城になった。さらにその北隣は、秀吉の長浜城である。羽柴家の人数はことごとく山陽道にあり、長浜にはいない。

城にいるのはわずかな番士と、秀吉の家族だけであった。ただし、すでに文官じみた仕事をしている副田甚兵衛がいる。

「防戦をしよう」

と、最初、甚兵衛はさわぎたてた。秀吉の妻の寧々は、この男のうろたえぶりにあきれた。防戦をするといっても、城内で侍らしい者は十人もいないではないか。その十人ほどの連中も織田家の将来を絶望し、かつ甚兵衛の指揮下で戦うことの心もとなさを思い、ひそかに妻子をつれて美濃・尾張に駈け落ちてしまった。この現状でなにをどうふせぐのであろう。

翌日、甚兵衛は変説し、尾張へ逃げ落ちましょう、といった。逃げ落ちるあてがあるわけでもなくこの男はただ騒がしく言いののしるのみで、どうにもならない。

(やはり、合戦の用にはたたぬお人だ)

と、寧々はもう甚兵衛が不愉快になり、自分が下知をとる、そなたはだまっておれ、といった。この長浜の東方に、秀吉がかつて小谷《おだに》攻めのときに築いた野戦用の城が残っている。山城であり、敵をふせぐのに長浜よりもはるかに心丈夫である。そこへしりぞくことにし、寧々は姑や小姑をまもりつつ城を落ちた。その落去のときも、甚兵衛は荷物の宰領をするでなく、まして城下や近郷の民に何の布告するでなく、まるで役に立たなかった。これが、後日秀吉の心証をいちじるしく損《そこな》った。甚兵衛が気がきいておれば、せめて飛脚便の一本でも山陽道の陣中へ寄越し、御一同さまはごぶじでございまする、とさえ便りすれば秀吉は大いに安堵《あんど》し、心おきなく復讐《ふくしゅう》戦に専念することができたであろう。

——甚兵衛という男はなんのために禄を食《は》んでおるのか。

と、備中からいそぎ兵を旋《かえ》した秀吉は、姫路から尼崎へとひたのぼりにのぼるあいだ、馬上なんどそのことをおもったかわからない。秀吉は信長ほど家来の無能に対して不寛容な男ではなかったが、しかしこのときは時期が時期だけに気がいらだち、ゆるせないとまでおもった。

光秀を南山城の野で討滅した秀吉は、さらに北にすすみ、柴田勝家を北陸で討って、織田政権の相続者である地歩をきずいた。

が、それは相続でない、簒奪《さんだつ》である、という立場から信長の次男織田信雄が尾張で抗戦し東海の徳川家康によびかけ、それと連繋した。

天正十二年の小牧長久手《こまきながくて》の戦いである。

当時、秀吉は京をおさえ、大坂を居城とし、その勢力範囲は二十四カ国におよび、その総石高は六百二十万石を越え、版図《はんと》はすでに旧織田政権よりも大きい。それにひきかえ、織田信雄は百七万石、徳川家康は百三十八万石であり、勢力に相当の格差があったが、しかし秀吉は家康の能力とその家臣団の勇猛さを大きく評価し、この合戦の攻防には慎重を期した。

慎重でありすぎるほどであった。動員能力十五万人のなかから割《さ》けるだけの兵力を美濃・尾張の野に投入したが、しかし全軍をいましめて手出しをさせず、いたるところに野戦築城をさせ、広大な要塞線をきずき、陣地による対峙《たいじ》戦のかたちをとった。家康も、同様であった。どちらもが巧緻《こうち》な陣地を構築して対峙した以上、さきに手出しをしたほうが負けるであろう。開戦は、三月である。四月、秀吉の一部隊が、軽々に動いた。長駆して家康の根拠地の三河を襲おうとし、隠密《おんみつ》行軍をつづけているうちに家康に気づかれ、その本軍の攻撃をうけて潰走した。

家康は、局部戦に勝った。それ以後陣地にこもって動かず、秀吉の挑戦に応ぜず、この局部戦の勝利の評判をできるだけ天下にひろめようとした。秀吉はあせった。秀吉にすれば決戦を希望し、決戦によって家康を討滅しようとしたが、家康は栄螺《さざえ》がふたをとじたようにして応ぜず、ただ一度の勝利の記録をまもり、まもりつづけることによって事態の好転を待った。

秀吉としては家康が応戦せぬ以上、かれのもっともすぐれた能力のひとつである外交をもって突き崩そうとし、まず家康の同盟者である織田信雄を誘い、籠絡《ろうらく》した。信雄は利をもって釣られ、味方の家康にはひとことの断りもなく単独で秀吉と講和してしまった。このため家康も十分の余力をのこしつつ戦場から撤退し、自国へもどった。

秀吉はさらに家康のもとに使者をおくり、講和を提示した。家康としても天下の趨勢《すうせい》がすでに秀吉にあることをおもい、その講和をうけ入れた。戦闘の勝利者ではあったが、しかしかたちとしては敗者の立場をとらざるをえない。人質を、秀吉に送るのである。

もっとも、秀吉は家康の立場を優遇し、表面は人質とはいわず、

——御一子を、拙者の養子として申しうけたい。

と、申し出た。実質はどうであれ、養子というのなら家康の面目は立つであろう。

家康はそれを承知し、次男於義丸《おぎまる》をさし出すことにし、家老石川数正を護衛者として大坂へ送った。秀吉は於義丸を大坂城で引見したあと、養父子の儀式をとりお

こない、すぐ元服させ、秀の一字をあたえて羽柴秀康と名乗らせ、わが家族の一員とした。のちの結城秀康である。

が、家康はあくまでも勝利者の場から降りず、その本拠地の東海地方から一歩も出ようとしなかった。本来ならば城を出て京大坂にのぼり、秀吉と対面すべきであろう。が、それをすればあたかも降伏者であるがごとくであり、家康はそれをしなかった。かれの政略であった。家康は東海に腰をすえているかぎり秀吉と対等であり、於義丸を送ったことも、それは単に徳川家が羽柴家と養子縁組をしたというにすぎない。

秀吉は、この家康の態度に当惑した。

当然であった。家康が東海五カ国（三河、遠江《とおとうみ》、駿河《するが》、甲斐《かい》、信濃）に腰をすえているかぎり、四国、九州、関東、東北の諸豪はこの家康と連繋し、秀吉政権に抵抗しつづけるであろうし、さしあたって秀吉がたとえば四国を討とうとしても、後方に家康がひかえているかぎり、大軍をうごかすことができない。

なるほど、秀吉がもっている十五万の大軍団を東海に投入しつづければ、いつかは家康をほろぼすことができる。しかしそれには長い歳月が要る。そのあいだに天下が乱れ、たったいま成立したばかりの秀吉政権はくずれさるであろう。秀吉は、その天下統一を短時間で遂げる必要があった。そのためには手間のかかる戦争よりも、事の早い外交の道をえらんだ。家康を、なんとか外交でもって手に入れたい。家康を家来にすることであった。具体的にいえば、家康を上洛させたい。上洛して秀吉謁見、という形式で両者顔をあわせればそれでもう、主従関係になる。

（なんとか、京へのぼらせるわけにはいかぬか）

秀吉は、かねてこの天下のうち、信長をのぞいては家康をのみおそるべき者とみていたが、いざ直面してそれ以上のおそるべき人物であることを知った。他の者のように賺《すか》しも喝《おど》しもきかなかった。なるほど人質はとった。しかし家康の政治的決断としては、於義丸を捨てたつもりでいるのであろう。人質に未練があるなら上方《かみがた》へ出てきそうなものだが、その気配もない。人質は、効がなかった。

秀吉は、必要にせまられている。必要の前にはどんな飛躍をも辞せぬのが政治というものであった。もし家康が家来になってくれるというのなら、土下座してかれの足をなめてもいい、とさえおもった。

旭姫についての発想がうまれたのは、この必要からである。

「小一郎、力をかせ」

と、その弟の秀長に秀吉が頼み入るようにしていったのは、このときである。一族の犠牲がなければならぬ。

「もしおまえが否といえば、天下の大事は去る。いまできたばかりの羽柴家の天下は崩れ、この家はほろび、われらの一族は死ぬ。それほどの一大事が、おまえの一《いち》諾《だく》にかかっている。応といってくれるか」

といった。

用というのは、旭姫を離婚させ、それを家康に縁づかせ、秀吉と家康が義兄弟になることによってかれを秀吉政権の幕下にくり入れてしまおうということであった。それ以外に手はない。しかしそれを母親のお仲——大政所《おおまんどころ》がゆるすかであった。娘のそういう不幸をおそらくは許すまい。それを口説く。母親を説得するには、秀吉よりも、母親が秀吉以上に愛しているこの小一郎秀長にあたらせるほうがいい。ひとつには、秀吉にとって旭姫は異父妹であるために半ば義理がかった兄の秀吉の口から話すよりも、旭姫と同父同母の秀長の口から話させるほうが万事、うまくゆく。ついでに旭姫のほうの説得もたのむ、と秀吉はいった。

秀長は、ぼう然とした。古来、このようなことがありえたか、とおもうのである。旭にはれきとした亭主があり、夫婦仲も世間なみであり、波風もなく安穏にくらしている。その関係を突如引き裂き、ひきさいたうえにいきなり他の男の嫁にさせようというのだ。この国の夫婦の歴史のなかであったためしはあるまい。これは請けかねまする、と秀長は悲鳴をあげるようにしていった。

「わかっている。百も承知だ」

と言うなり、秀吉は、ひいっと声をあげて哭いた。秀吉は笑うことの多い男だが、感情が激しくなると、いつでも泣くことができた。このばあい泣きながらそのやむをえぬ必要と理由を早口で喋り、喋っているあいだ顔が泣きつづけていた。その涙が、秀長を沈黙させた。ついには請けざるをえなかった。

「しかし、副田甚兵衛はどうなされます」

「甚兵衛には、できるだけのことをしてやりたい。五万石をあておこなって、大名にしてやるつもりだ」

女房を売って大名になるのか、といったような感想は、秀長には湧《わ》かない。その点では秀長はすなおすぎる男であった。それならばまずはおさまるだろう、とおもうのみで、深くは考えなかった。それよりも母親のお仲であり、妹の旭であった。その説得ができるかどうか。

秀長は、まず母親に話した。案のとおり、お仲は狂乱したようになった。小一郎、聞けよ、あの猿めはわらべのときから苦労のみをかけさせた、このような暮しもわしが望んでのことでないわ、あの猿めが侍になり、こうなったがゆえにやむなくこの御殿に住もうている、あの尾張中村の月洩る屋根の下に住んでおればこのようなこともなかったであろう、といった。それを秀長はなだめ、すかし、ともあれ、承知をさせた、つぎは妹であった。

秀長は旭を大坂城によび、長姉ともどもに説き、

「もはや甚兵衛も承知をしておるわ」

と、重大すぎるうそをついた。この一言が旭の手足を冷たくした。その場に倒れ、一時は、息が絶えたようになった。医師がそれを回復させたが、あたらしい結婚のことよりも、甚兵衛にすてられたという事実のほうがよほどの衝撃だったのであろう。そのあとものもいわなくなり、秀長が最後に、浜松へゆくことを——承知か承知か、と問いかさねたとき、うつろにうなずいたのみであった。

副田甚兵衛は、この当時、近江中央部の羽柴家直轄領の代官をしていた。その甚兵衛も旭とは別々に大坂の杉原伯耆の屋敷によばれ、対面した伯耆からいきなり、

「上意である」

と、その一件をつたえられた。甚兵衛は、逆上した。

脇差《わきざし》のつかをにぎった。

「甚兵衛、なにをするというのだ」

伯耆はあらかじめ察していたのか、人業《ひとわざ》ともおもえぬほどのすばやさで畳をすべり、身をひいた。間隔ができた。その間隔へ、左右にいた杉原家の家来十人ほどがすべって入り、とっさに両人のあいだをうずめた。

「う、討つというのか」

甚兵衛はよほどうろたえていたらしい。自分が剣に手をかけた反射がこれだとは気づかず、相手の害意をのみおそれた。

「とんでもございませぬ」

杉原家の老臣が、わざと声をあかるくし、この場をなごますような笑顔をつくっていった。お手もとがあぶのうござるにより、かように推参つかまつっておりまする、まずはそのお手を――と、掌を品よくあげて甚兵衛の右手のあたりをさした。甚兵衛はこのときやっと自分の右手がそんな行動をしていたことに気づいた。

「……なにも、せぬ」

力なく、手を垂れた。なんのためこの剣に手をかけたのか、抜いてわが腹にでも突き立てようとおもったのか、それとも杉原伯耆をひといきに討とうとしたのか、自分でも理由がわからない。

しかし、どちらでもないであろう。この屈辱と、わが身のこの思いきった運命のおろかしさに、身も心も御しきれなくなり、あわやと思うまもなく度をうしない、わけもなく脇差に手をかけてしまっていたというにすぎない。伯耆を斬《き》る勇気もなかった。斬ったところでどうなるものでもあるまい。

「なにもせぬ」

と、甚兵衛はもう一度いった。斬るとすれば、秀吉である。が、二百数十人の大名を従えた六十余州のぬしを斬れるであろうか。

「ことわる」

一時間後に、甚兵衛は叫んでいた。ことわる以外に、男を立てる場がない。

といって、妻の旭を奪《と》りあげられることをことわる、というのではなかった。この点は、洪水や地震と同様、不可抗力であった。しかしその代償に五万石の大名になるということはことわることができる、これは甚兵衛の自由である、おれはことわる、というのである。

「ことわる。妻を売って、その価《あたい》で五万石の大名になるというばかが、どこにあろう」

と、甚兵衛は、わめいた。

「代《だい》はいらぬ。どうぞ無償《ただ》でもっていってくだされ。甚兵衛がそう申しておった、とシカと上様へお伝えあれ。ゆめお忘れあるな」

玄関へ駈け出、そこでくるりとふりむくなり、暗い奥へむかってもう一度おなじことをわめいた。無償でござる、呉《く》れて進ぜる、そうお伝えあれ。伯耆どの、シカと。この一言、もし上《かみ》へ伝わらねば甚兵衛はもはや地獄じゃ、弥陀《みだ》にも弥勒《みろく》にも救われようがない、せめてもこの一言、上へおつたえあれ、と飛びおり、さらに門を出ようとしてもう一度ふりかえり、また叫ぼうとした。その人体《にんてい》、もはや乱心、としかおもえない。

——あの男、恥じて腹を切るか。

と門内のひとびとはおもい、げんに路上を駈けつつ甚兵衛もそれをおもったが、しかし宿所にもどってから、その愚を悟った。この場合、腹を切るほどくだらぬことはない。屈辱のあまり死んだ、と世間に伝わるだけのことである。切腹はゆらいおのれを誇示する最高の形式であり、華やかなるべきものであるのに、この場合、ひそかに自決したところでひとから湿った同情を買うだけであろう。それよりも生きて退転することである、とおもった。無断で立ちのく。主《しゅ》を見限ったかたちで立ちのく。そこに無言の抗議と批判を世間は感得してくれるであろう。常法によれば退転者は主家に対する一種の反逆として討手をさしむけられるが、相手が公儀である以上、不足はない。そのときこそ屋敷の塀一重《ひとえ》を矢防ぎに大いに防戦して死んでやる、それ以外にこの屈辱をいやす方法はない。

甚兵衛はその翌未明、宿所をひきはらって大坂を退散し、途中近江の屋敷の始末をし、故郷の尾張に帰り、愛知郡鳥森の知行地の寺で頭を剃《そ》り、隠斎と号し、そのまま隠棲《いんせい》してしまった。

当然、上意による討手がさしむけられるはずであったが、その点も、杉原伯耆はぬかりがなかった。翌朝甚兵衛の出奔をたしかめたあと、登城して秀吉に拝謁し、結果を報告し、さらに甚兵衛が尾張に帰ったのは退転ではなく病気による隠退であり、その願いはそれがしにまで届けにきておりまする、ととりつくろったうえ、「許しがいただけまするや否や」と、神妙にうかがいを奉った。

むろん秀吉には、伯耆のことばの裏の事実の想像が、ありありとつく。が、この場合、罪をかまえてさわげば損は公儀のほうである。

「よかろう」

とゆるし、あとはさらに重大なことを、気配りせねばならなかった。すぐ使いを浜松へ送り、家康を説き、かれに婿になることを承知させねばならない。

(どうであろう)

さすがに秀吉にも成算がなかった。なるほど家康には側室が多数いるが、正室築山殿は六年前、ある不祥事によって非業《ひごう》に死に、以後たれをもめとらず、むしろ築山殿との紛争でこりただけに娶らぬ暮らしの気楽さを家康はよしとしている様子でもあった。しかし、要するに独身ではある。

齢は、家康は四十四歳である。花嫁たるべき旭姫は四十三であり、もともと美貌でないばかりか、若いころの野良仕事のせいで皮膚がしぼみ、日焼じわが深く、化粧ではとうていかくせない。さらに素姓のわるさは知れているうえに、たったいままで官位もない侍の女房であった。そういう女を、家康が承知するかどうか。

——吉左右《きっそう》はどうであれ、いまは掛けあわせてみることだ。

その仲介を、織田信雄にとらせる形式をとり、その使者としてかつて信雄の重臣でいまは羽柴家の直参になっている土方勘兵衛、富田左近らを浜松へくだらせた。土方勘兵衛は、能弁の男であった。家康の前で天下と両家のご安泰のためにこれほどのめでたきことはない、と説いた。家康はただうなずき、しかし沈黙をつづけた。最後に口をひらき、

「一夜、考えさせていただきたい。しかしながら貴殿らの面目は、うしなわさせぬ」

と、わずかにいった。

そのあと奥にしりぞき、重臣たちをあつめてそのことをはかったときは、家康はすでに覚悟をきめていた。

が、重臣のほとんどが血相を変え、嫌悪をむきだして反対した。御家に、素姓も知れぬ土民の血をお入れあそばすことはござりますまい、ということであった。かれらは、秀吉が従三位権大納言になっていることを、認めようとはしない。

「言うな」

家康は不機嫌な表情でいった。そのような感情論を百夜きいたところで何になるであろう。げんにその土民あがりの四十三歳の嫗《おうな》と肌を触れあわさねばならぬのは

この家康自身であり、好悪の情をさきだたせるとすればかれこそまっさきにそれをいわねばならぬ。家康はその点を嚙《か》み殺し、事をあくまでも政治問題として割りきってしまいたい。そうせねばならぬ。この点、この花婿の候補者は酷忍の性格にめぐまれていた。年少のころ、隣国の今川氏の機嫌をうしなわぬために今川一族から年上の女を妻にむかえざるをえなかったし、その妻築山殿を、二十数年後には織田信長の強制により、嫡子信康もろとも殺している。信長の命に服さねばその傘下の徳川家は一日も保てぬからであり、すべて右のごとく政治的理由によるものであった。いま秀吉の妹という初老の戻り後家を娶るというのも、人情としての正気でこれを考えてはならないことは、家康は知りすぎるほどに知っている。いまの羽柴家はその素姓がどうであれ、かつての今川氏や織田氏以上の威権をすでにもちつつある。情勢がそうである以上、これはうけざるを得まい。

「考えてもみよ」

家康は、別なことで家臣たちに、徳川家家臣としての自尊心をもたせてやらねばならなかった。旭姫は体よき人質である、と家康はいった。秀吉は天下の半ば以上を制したが、しかしみずからへりくだってその妹を東海の自分へ人質としてさしくだそうとするのである。しかもいったん家臣に嫁がせてあった者を、とりかえしてまでのことであるという。秀吉の苦渋がわかるではないか。情勢をみるに、と家康はさらにいう。天下は早晩羽柴家に帰するであろう。となればいずれはその隷下《れいか》に立たねばならず、もはやそうなると見きわめた以上、できるだけよきかたちで属することを考えたほうが得である。この程度のことで、かれと争わぬほうがよい、と家康はいった。この程度のこと、というのは旭姫との結婚問題であった。

家康は承諾し、その旨を使者に返事する一方、家臣本多忠勝に結納をもたせ、いそぎ上方にさしのぼらせた。

「めでたや、落着したか」

秀吉は手をうって大いによろこぶしぐさを作ったが、しかし内心、この一件をこれほどかるがると承知してきた家康という男に、いままで以上の畏怖《いふ》をおぼえた。この打てばひびくような返事のかろやかさも、あの肥満漢の武略なのであろう。

事態が進行し、輿入《こしい》れは盛大にとりおこなわれた。旭姫はただ身柄をその事態の進行にゆだね、ゆだねつくしてしまうほかなかった。身柄が、大坂城内の殿舎から輿にのせられた。やがて天満から船に移され、自然、京にはこばれてゆき、聚楽第に入れられた。この史上もっとも壮麗な殿舎が、彼女の化粧所としてつかわれた。彼女は食事をし小用に立つ、という以外はただ呼吸をしているだけで、すべてが運ばれた。婚約成立後、三カ月目の初夏、彼女の身柄は輿の上にあり、京を出発した。その輿入れの宰領官は、縁者である浅野弾正少弼《だんじょうしょうひつ》長政、織田家一族の津田隼人正《はやとのしょう》信勝、滝川儀太夫らであり、それらが千騎ばかりをひきいて前後をかため、旭姫直属の侍女と従士だけで百五十余人、婦人用の輿が十一挺《ちょう》、釣輿十五挺という絵のように華麗な行列が、東海道をくだった。

五月十四日浜松に入り、その日ただちに城内で婚儀があげられ、おわってめでたく取りおさめられた旨秀吉に報告すべく、徳川家の老臣榊原康政が浜松を出発した。家康はその夜、当然のことでもあり、旭姫と同衾《どうきん》した。ちなみに家康には、寵愛《ちょうあい》の側室が多い。西郡局、お万の方、お愛の方、お都摩《つま》の方、お茶阿の方、お亀の方、お梶の方など、その後宮は絢爛《けんらん》たるいろどりに満ちており、いまさらこの媼のような婦人と同衾してことごとしく情趣をおぼえるほどの酔狂さはなかった。

が、この人物のおどろくべきことは、律義に几帳面《きちょうめん》に――ひととおりではあったが――初夜をつとめあげたことであった。花嫁のあつかい方も物優しく、疲れきっているであろうその神経をなぐさめるために、必要ないたわりのことばは過不足なくつかった。

旭はそれに対しときどき小さくうなずくのみで、あいかわらず鈍い反応しか示さなかったが、しかし内心、みずみずしい驚きで満たされていた。家康といえば東海一の弓取りで織田殿でさえ遠慮したという大将であるときいているのに、この優しさはどうであろう。最初の夫の水呑み百姓も、つぎの夫の尾張の地侍あがりの甚兵衛も、これほどの優しさで旭をあつかってくれたことがない。

その感動が旭の目差《まなざ》しにあらわれはじめたとき、家康はそれを敏感に見てとり、この多少困難な仕事が成功をおさめたことを知り、かるい安堵をおぼえた。家康としては旭を優しくとりあつかうべきであった。その床入りの儀もぞんざいであってはならず、むしろ寵姫たちにそれを施している以上に入念であらねばならぬとおもっていた。旭の付老女が、翌日には旭からそれをきくであろう。きけばすぐ長い手紙を秀吉の老女に差し立てるであろう。秀吉は家康の旭姫に対する態度を知ろうとし、その手紙のくるのをいま待ちかねているにちがいない。家康にとってこの床入りは政治であり、旭のつやのうせたからだを愛撫《あいぶ》することが、多少の忍耐を伴おうとも――その重要な課題であった。

しかし、その後において秀吉は落胆せざるをえなかった。

秀吉の重要な期待は、この結婚によって家康が上洛してくるであろうことであった。が、家康は旭をその家におさめたきりなおも動かず、東海の経営に熱中し、秀吉にはなんの興味もみせなかった。すくなくとも、そのそぶりをつくりつづけた。

秀吉のあせりが大きくなった。こうとなれば、この婚礼以上の犠牲を払ってみせねば家康は腰をあげぬであろう。その思案が、重要な決意を秀吉におもいつかせた。その母親を人質として浜松へ差しくだそうというものであった。それをもって、家康上洛にともなう保証にしようとした。上洛をしても家康を殺すようなことはせぬ、その保証としてわが母親を御当地にやる、というものであり、家康万一のときはこの母を殺せ、という意味をふくめたものであった。

「小一郎、それをお袋どのに説け」

と、秀吉はその弟に命じた。小一郎秀長はおどろいた。関白秀吉といえばすでに天下の主宰者である。それがたかだか東海数カ国の地方大名を上洛させるのに、妹を呉れてやるだけでなく母親を質物《しちもの》にするとはどうであろう。武門の恥辱ではないか、と、秀長は反対した。

「そこまでかの浜松どの（家康）にご遠慮なさることはございますまい。上洛督促に従わねば一戦してほろぼすあるのみ」

と、いった。これが正論であろう。おそらく亡き織田信長ならばそうしていたであろう。すでに秀吉は位《くらい》関白にのぼり、その版図は紀州・四国を加えている。家康を征服するのにどうみても内実に不足はない。

「そういうことだ」

と、秀吉はいった。秀吉の感覚では、だから武門の恥にはならぬというのである。中央の強大な者が、僻陬《へきすう》の小なる者へ膝《ひざ》を屈してやるのは謙譲というものであり、恥辱ではなく、世間も当然そう感じ、むしろ美挙とみるであろう。わが統一の方針ははらごなしを眼目とし、できるだけ時間を吝《お》しみ、武力を避け、あとに恨みを残さぬようにする。その一事にある、そのためにはどういう手段もおしまぬ、といった。秀吉はいま九州征伐をすでにその軍団に下令し、みずから遠征軍をひきいてゆこうとしていた。この時期、東方の脅威をなくし、天下を安定しておきたい。秀吉はさらにいう――浜松どのは故織田家の同盟者であり、その威望は世に知られている、かれが浜松から走り出てわが幕下に入ったとなれば、天下の人心はにわかに安定し、豊臣の天下は不動のものになったとおもうであろう、目的はそこにある、得るところは家康を攻伐する以上に大きい、というのである。

母親のお仲は、去年、秀吉が関白に叙任されると同時に、大政所という呼称を、宮廷と世間から奉《たてまつ》られていた。

――よろしかろう。

と、この大政所は、意外にすらすらと承知した。秀長にすればこの老母に政治情勢を説いても彼女を惑乱させるだけであるため、「いかがでありましょう。ひさしぶりにて旭を見舞いにゆかれませぬか」ということだけで彼女に説きつけたのである。お仲としては異存があるはずがない。

世間にも、それを理由として公表した。大政所が旭姫のさびしさをなぐさめるために下向あそばす、ということであった。

家康も、秀吉のこの申し入れには屈し、上洛すべきことを申し送り、その準備をした。

やがて大政所は大坂を出発して東下した。家康は岡崎まで出てこれを出迎え、みずから浜松へ案内する予定をたてていたが、幕僚のひとりが、ひどく田舎びた献言をした。

「にせものかもしれませぬ」

というのである。理由は、臆測《おくそく》であった。その言うところは、あのくらいの老母なら京の内裏《だいり》の女官の古者《ふるもの》のなかにあまたおります、秀吉は殿様をたばかろうとして、いずこよりか連れてきた老婆を大政所に仕立てあげたのかも知れませず、ということであった。

——そのこと、尤《もっと》も。

と家康もうなずき、すでにかれは岡崎城に到着していたのだが、一策を講じ、予定を変え、いそぎ浜松から旭姫をよび寄せた。その魂胆は、旭姫が大政所に対面したときの様子やそぶりをもって判断しようというものであり、家康と幕僚たちはすべてこの魂胆を秘めた。

(が、かの御前《ごぜん》は、様子さだかならぬかたゆえ、どうであろう)

という心配もあった。反射がにぶく、無表情で、心のうちがなかなかわからない。

旭姫が、予定の変更のためにあわただしく浜松を発《た》ったのは、十月十七日である。岡崎へは二日の行程である。彼女の行列が岡崎の城下に入ったのは翌十八日の夕刻であった。

そのとき、まるであつらえたように大政所の行列が西から岡崎に入ってきて、ふたりの行列は大手門への辻で行きあった。

「あれは、大政所のお行列ではないか」

と、旭姫は駕籠《かご》の引戸をあけ、侍女たちにいった。彼女にしてはめずらしい敏感さというべきであったろう。

大政所も気づいた。たがいに動物のような嗅覚《きゆうかく》と反応であった。大政所も駕籠をとめさせ、引戸をあけた。灰色の髪をもった首が、引戸から出た。

「あーっ」

と、悲鳴に似た叫びをあげたのは、旭姫のほうであった。駕籠からころび出、裾《すそ》を踏みつつ駈け、そのため転んだ。旭姫が起きあがったとき、大政所があわただしく駕籠からころげ出たのと同時であった。旭姫が、母娘を路上で抱きあわせた。勢いが、旭姫は、裾を埃《ほこり》でまみれさせつつ童女のようにもだえ泣いた。

——まちがいはない。

と、その光景をながめて実験者の冷やかさをもってうなずいたのは、家康の幕僚の本多重次であった。賢明な実験といえたが、しかしその反面の酷忍さは、のちまでつづいてゆく徳川家特有の家風ともいえるであろう。

家康はこれに安堵し、翌々日京にむかって発った。家康上洛中の二十五日間、大政所と旭姫は岡崎城内の殿舎でともに暮らしたが、その間《かん》、徳川家の幕将の井伊直政、大久保忠世《ただよ》と右の本多重次が手兵をひきいてその殿舎を監視した。本多重次のごときは大政所の殿舎のまわりに山のように柴薪《しばまき》を積みあげ士卒に昼夜見まわらせ、上方で家康が殺されたという報をきけばただちに火をつけて母娘もろとも焼き殺しにする態勢をとった。

——そもじはまあ、このような家の北の方になりやったのか。

と、大政所もおどろき、この末娘の不幸を、極彩色の地獄絵で見せつけられたようなおもいがし、二十五日のあいだ、母娘ともに泣きぐらした。この岡崎から八里の西方に、彼女らが生い育って暮らしていた尾張中村の在所がある。その地で送った貧農のころの日々のほうがどれほど楽しかったかということを、こもごも飽きもせずに語りかわしたことであろう。

家康がぶじ上洛をすませて帰国してから、大政所は岡崎を去った。この直後、家康はその居城を浜松から駿府《すんぷ》（静岡市）へ移動したため、旭もそれに従い、以後駿府城に住んだ。このため、

駿河御前

とよばれた。が、その期間も長くはない。

二年後の天正十六年七月、京で大政所が病んでいるときき、その看病のために上洛し、さいわい大政所は全快したが、旭姫は気を病み、そのまま京で療養した。ありようは駿府へ帰りたくないという思いが、気を病ませるもとになったのであろう。次第に衰弱し、翌十八年正月十四日、聚楽第で死んだ。年、四十八である。

秀吉は彼女の遺骨を、彼女が気を病むほどに忌みつづけた徳川家には送らず、京の郊外鳥羽街道ぞいの東福寺に埋葬し、南明院殿光室総旭姉と諡《おくりな》し、ただちに関東の北条征伐に発向した。その東征の道中、駿府をすぎたとき、旭姫が生前安倍郡瑞竜寺にしばしば参詣したという逸事をきき、その薄幸を哀れみ、追福のため寺内に供養塔一基をたてた。

旭姫の奇妙さは、一首の和歌さえその没後の世に遺さなかったことであった。和歌だけではない。

この時代、豊臣と徳川家の内外には多数の記録者があらわれて、さまざまな記録を後世に残したが、彼女のことばというものがどの記録にも伝わっていない。よほど無口だったのか、それとも人と接するのを好まなかったのか。

いずれにせよ、歴史のなかで永遠の沈黙をまもっている。

解説　女の典型を描く司馬の作品群

鷲田小彌太

1

司馬遼太郎が一九九六年二月十二日に亡くなってから十年過ぎた。いかな人気作家の司馬でも、遅かれ早かれ読まれなくなる。それが物故した作家の通則である。松本清張《せいちょう》でさえそうだった。こう考えたのは、私だけではなかっただろう。司馬通の谷沢《たにざわ》永一でさえ同趣のことを残念そうに私に語ってくれたものだ。

しかし司馬はつねに文学の通則を破り続けてくれる人である。私が抱いた杞憂《きゆう》をいとも簡単に吹き飛ばしてくれた。司馬作品の既刊本が売れただけではない。全集（全六十八巻）が完結した。エッセイ集『司馬遼太郎が考えたこと』（全十五巻）をはじめとする各種のエッセイ、評論、コラム集がするすると編まれた（司馬書誌学者の山野博史の仕事と聞く）。『大盗禅師《だいとうぜんじ》』をはじめとする未単行本化の作品が刊行された。さらに『司馬遼太郎短篇全集』（全十二巻）が刊行中だ。特徴的なのはどの本も時をおかず文庫化されていることで、講演集、『街道をゆく』のビジュアル版その他を加えると、生前中と少しも変わらずに司馬本が書店の書架を占領し続けている。

ところがこの圧倒的な人気作家に対して、「文壇」やある種の文学愛好家から、あいも変わらぬ調子で「司馬文学は文学ではない」という悪罵《あくば》が投げつけられている。原因がある。

一つは、司馬が文学（小説）の「定義」を無視した書き方をしているからだ。小説は、どう書いてもいい、あらゆる対象を自在に盛ることができる「器」＝文学形式である、というのが司馬文学のあえていえば「定義」だ。したがって、「歴史」（ヒストリィ）もまた司馬にとっては「小説」（ストーリィ＝フィクション）である。これが「小説」愛好家には許せないというわけだ。

二つは、司馬は戦後日本を強力支配した歴史観（唯物史観と占領史観の混合物）を独力で変えた。日本と日本人の歴史に大いなる「傑作人」を見いだし、それをほれぼれするような筆致で描き、日本の誇るべき「遺産」を如実に示し、日本人に自信と勇気を与えた。ために司馬を国士と見立て、これを担ぐ人々が現れるという、司馬の小説作法から最も遠い非文学事態が生じたのである。

しかし、司馬作品を文学（小説）とみなさない強い感情にはもう一つの要素、司馬は男を描いたが、女を描かなかった、あるいは描くことができなかった、というところにある。つまり司馬の「人間」描写には人間の半分にすぎない男しかいない、もう半分の女を描くことができない小説なんて小説じゃないというのだ。

たしかに、司馬は「男の典型を一つずつ書いてゆきたい。そういう動機で私は小説書きになったような気がする。」（『燃えよ剣』のあとがき）と記している。続いて「べつに文学とか、芸術とかいう大げさな意識を一度ももったことがない（小説が本来、芸術であるかどうか）。」とある。司馬自身が、自分の小説は文学じゃない、と自証しているかのようなのだ。

司馬の長篇小説で女がほとんど登場しないものに『項羽《こうう》と劉邦《りゅうほう》』がある。しかし項羽に対する虞《ぐ》（虞美人）、劉邦に対する妻の呂氏《りょ》がいる。虞と呂氏はまったく性格を異《こと》にするが、夫と生死をともにした。項羽に虞がいなければ、項羽の生のなかに虞が点描されていなければ、項羽の孤独の深さと（ごく稀少にしろあった）嫉妬心のあり処《か》、したがって愛の描写力が半減したにちがいないのだ。

ほれぼれするような男の傑作を描きたい。司馬はこう念じる。しかし、そういう男は、醜悪で下卑た男の「典型」との対比で際《きわ》だつ。『花神《かしん》』で、師緒方洪庵の葬式で、愛国の狂気に殉じるべしという村田蔵六（大村益次郎）に対して、物騒事から万事身をひくことを身上としているクールな福澤諭吉を配している。作者は明らかに村田をほれぼれする男の典型として描いているのだ。ここでは福澤は損な役回りを演じなければならない。

ほれぼれする男にどんな女を配したらいいか、に定則はない。人間は孤立した存在ではなく、関係性の存在だからだ。寧々《ねね》に対する秀吉と、お市や淀に対する秀吉とではひどく異なる。しかも関係性は時間＝時期によって変化する。もっと難しいのは、この変化を通じて変わらないものがあることだ。つまりは個々の事例で関係性は異なるのである。考えてもみよ。もし劉邦に「少女」虞がつきしたがっていたとしたら、虞美人となるべき運命をたどることなどなかったではないか。

衆目の一致するところ、司馬が日本史上もっともほれぼれする男の典型として描いたのが『新史太閤記』の秀吉である。その秀吉に唯一ともいえる「癖」（病気）があった。美人好み、出自の良さ好みである。司馬は、寧々との結婚にこと寄せて、「二十六にもなって美人好き」である秀吉を、軽く揶揄《やゆ》するようなタッチで描いているが、本書の「北ノ政所《きたまんどころ》」にもあるように、血統の良さと美人であるだけの淀殿を偏愛し、豊家《ほうけ》滅亡の因《もと》を作ることとなる秀吉の悪癖を断じなければならなくなる。

そう、司馬は外形美だけ、出自の良さだけを誇る人間を極端に嫌う。女はもとより、より男を嫌う。したがって外形美や出自を誇る女を好む男を軽蔑する。

2

長篇では女を主人公にした小説は書かなかった。しかし、美しいだけではない女、美しくなくとも自立心のある女、自立心がなくとも夫を成功へと励ます賢い女、要するに智恵も勇気もある女が続々と登場している。それに短篇なら、女を主人公にした作品にこと欠かない。本書は、そんななかで戦国時代の女を描いた作品を集めたものである。

「女は遊べ物語」は贅沢と遊行好きの妻の物語である。夫伊藤七蔵は織田信長麾下《きか》の猛将で、愛する妻の遊びの金を得るため、戦場で必死に戦って、手柄を立て、つぎつぎと加増を勝ち取ってゆく。三百石がついには千石の大身《たいしん》に登るまでになる。妻の遊興が、生涯、妻に気弱だった夫を出世させたというわけだ。

ところが夫は連戦の疲れのためか、四十八歳で亡くなる。残った金銀を元手に、妻は妾（友人）が産んだ子に、武士をやめさせて絹あきないをさせる。一家はのちのち近江の商家として栄えた。

「北ノ政所」は、夫秀吉を成功させた賢夫人（寧々）と美貌で血統がいいだけの凡庸な淀殿との対立が軸になる。加藤清正《きよまさ》を中心とする寧々子飼いの大名＝武断派と、石田三成《みつなり》を頭とする官僚＝殿中派の対立を背景に、豊家没落の過程が描かれる。関ケ原の決戦が東軍＝徳川方の勝利に終わったのは、寧々が「諸事、内府《ないふ》〔家康〕に従え」と下知《げち》したからだ、というのが結論である。寧々からは、豊臣家は自分と秀吉がつくった作品で、「他人に渡さぬ」という「胆気」に似たようなものがにおい出てくる。

「侍大将の胸毛」は藤堂高虎の家来、大葉孫六の妻由紀が主人公だ。「侍大将」とは、二十万石に膨れあがった藤堂家が新規に召し抱《かか》えようとして孫六に斡旋《あっせん》を命じた渡辺勘兵衛で、戦国期屈指の勇将である。この勘兵衛がぶらりと大葉家を訪ねてくる。あいにく主人はいない。由紀と勘兵衛の奇妙かつ微妙な関係が生まれる。しかし勘兵衛はけっして由紀には手を出さない。勘兵衛が、主従の約束が反故《ほご》にされたことが因で藤堂家を去るとき、「生涯で一度、愛《かな》しいと思うおなごがいた」と由紀に告白して立ち去った。

「胡桃《くるみ》に酒」は細川忠興《ただおき》に嫁《か》した明智光秀の娘たまが主人公である。たまのあまりの美しさに恐怖した忠興は、いかなる他人の目からもたまを隔離しようとする。まさに狂気である。戦場では勇者の忠興も、家ではただの嫉妬に狂った男でしかない。その理不尽に耐えながら人間的に成長し、自立してゆくのがたまである。ちなみに「胡桃に酒」は食い合わせの悪いものを指す。すなわち忠興とたまの関係だ。

「一夜官女《いちやかんじょ》」は姫路城下で有名な医家の長子の嫁である小若が主人公だ。旅先で足止めを食い、村の奇習である「一夜官女」（犠牲《にえ》）に仕立て上げられる。その神殿で、謎の侍に会い、一夜をともにする。この男、敵《かたき》討ちに追われる岩見重太郎らしい。「女のつまらない一生で、一日でも劇的な日があれば、その思い出だけで生きていける」というのが小若の想いとして残る（ただし、話は後日譚《ごじつたん》がありここで終わらない）。

「駿河御前《するがごぜん》」は、秀吉の腹違いの妹旭《あさひ》の権力に翻弄された一生記である。

旭は秀吉と違って、顔はそこそこだが、無口で目立たない。はじめ中村の小百姓に嫁した。秀吉はいやがる亭主を侍に取り立てるが、早死にしてしまう。寡婦《かふ》になった旭はやもめの秀吉麾下の侍に嫁す。しかし、武家のしきたりをまったく知らぬ旭は「終日居間にすわってただ呼吸をしているだけ」なのだ。ところで変事が起きて、天下が秀吉の手に落ちた。だが徳川家康が屈しない。窮した秀吉が、旭を離縁させ、家康に娶《めと》せるという奇策に転じた。体《てい》のいい「人質」である。それでも、家康は上洛《じょうらく》しない。さらに大政所《おおまんどころ》（実母）を人質にしてようやくのこと、家康は秀吉の膝下《しっか》に屈したのだ。

上洛直後、家康は駿府へ移動したため旭は「駿河御前」とよばれたが、その四年後に亡くなっている。旭の奇妙さは、一首も歌を残さなかったこと、もっと奇妙なのは、自分の言葉をどのような記録にも残さなかったことである、と司馬は書く。

どうだろう。六人の「美質」ばかりが描かれているようには見えないだろうか。しかし、いずれも描かれ方は女の「典型」である。夫の稼ぎ以上に浪費し、結局、財をなす女。権力の変転の鍵を握り続ける女。どんな女でもほれぼれとする男に、唯一愛した女はおまえだ、と告白される女。絶世の美貌で出自も良いが、夫の愛＝嫉妬に苦しみながらも毅然として顔を立てて生きる女。一生一度のドラマを摑《つか》んで退屈な人生を生き抜く糧《かて》をえようとする女。そして、理不尽な兄（＝権力）の仕打ちにただ沈黙で耐えつづける女。六つの物語すべてはいずれも「極北《きよくほく》」＝「典型」をいく。つけ足せば、どれも司馬が好ましいと思う女の典型を堪能できるのではあるまいか。

（二〇〇六年一月、札幌大学教授）

初出／出典

女は遊べ物語（『講談倶楽部』一九六一年十月号／『一夜官女』所収　中公文庫）

北ノ政所（『中央公論』一九六六年十二月号／『改版　豊臣家の人々』所収　中公文庫）

侍大将の胸毛（『別冊文藝春秋』第七十八号・一九六一年十二月二十五日／『一夜官女』所収　中公文庫）

胡桃に酒（『小説新潮』一九六八年十月号／『故郷忘じがたく候』所収　文春文庫）

一夜官女（『講談倶楽部』一九六二年二月号／『一夜官女』所収　中公文庫）

駿河御前（『中央公論』一九六七年二月号／『改版　豊臣家の人々』所収　中公文庫）

本書の編集に際しては、著者が故人である点を考慮し、出典を尊重する立場から、なるべく原文のまま掲載しています。作品のなかには、二〇〇六年現在において差別的表現ととられかねない箇所がありますが、作品全体として差別を助長するようなものでないこと、また作品が歴史的時代を舞台としていることなどに鑑み、そのままにしています。

編集部

本書は、ＰＨＰ文庫のオリジナル編集です。

著者紹介

司馬遼太郎（しば　りょうたろう）

大正12年（1923）大阪生まれ。大阪外国語学校蒙古語科卒業。昭和35年（1960）『梟の城』により第42回直木賞受賞。以後、菊池寛賞、日本芸術院恩賜賞など数々の賞を受ける。平成３年（1991）文化功労者に顕彰され、平成５年（1993）に文化勲章受章。日本芸術院会員。『竜馬がゆく』『坂の上の雲』『国盗り物語』『空海の風景』『街道をゆく』『功名が辻』『人間というもの』など著書多数。平成８年（1996）２月逝去。

PHP文芸文庫　戦国の女たち
司馬遼太郎・傑作短篇選

2006年３月17日　第１版第１刷
2022年８月２日　第１版第８刷

著　者　司馬遼太郎
発行者　永田貴之
発行所　株式会社PHP研究所
東京本部　〒135-8137 江東区豊洲5-6-52
第三制作部　☎03-3520-9620（編集）
普及部　☎03-3520-9630（販売）
京都本部　〒601-8411 京都市南区西九条北ノ内町11
PHP INTERFACE　https://www.php.co.jp/
制作協力
組　版　朝日メディアインターナショナル株式会社
印刷所　図書印刷株式会社
製本所　東京美術紙工協業組合

ISBN978-4-569-66591-7

「司馬遼太郎記念館」への招待

司馬遼太郎記念館は自宅と隣接地に建てられた安藤忠雄氏設計の建物で構成されている。広さは、約2300平方メートル。2001年11月に開館した。

数々の作品が生まれた自宅の書斎、四季の変化を見せる雑木林風の自宅の庭、高さ11メートル、地下１階から地上２階までの三層吹き抜けの壁面に、資料本や自著本など２万余冊が収納されている大書架、……などから一人の作家の精神を感じ取っていただく構成になっている。展示中心の見る記念館というより、感じる記念館ということを意図した。この空間で、わずかでもいい、ゆとりの時間をもっていただき、来館者ご自身が思い思いにしばし考える時間をもっていただきたい、という願いを込めている。（館長　上村洋行）

利用案内

所在地　大阪府東大阪市下小阪３丁目11番18号　〒577-0803
TEL　06-6726-3860
HP　http://www.shibazaidan.or.jp
開館時間　10:00～17:00（入館受付は16:30まで）
休館日　毎週月曜日（祝日・振替休日の場合は翌日が休館）
特別資料整理期間（９/１～10）、年末・年始（12/28～１/４）
※その他臨時に休館することがあります。

入館料

	一般	団体
大人	500円	400円
高・中学生	300円	240円
小学生	200円	160円

※団体は20名以上
※障害者手帳を持参の方は無料

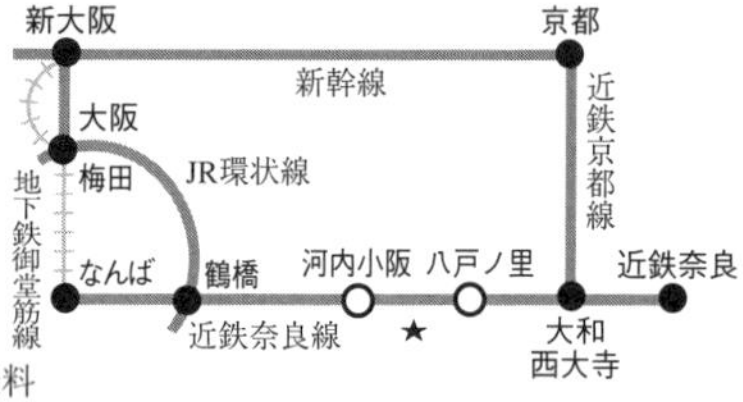

アクセス　近鉄奈良線「河内小阪駅」下車、徒歩12分。「八戸ノ里駅」下車、徒歩８分。
Ⓟ５台　大型バスは近くに無料一時駐車場あり。但し事前にご連絡ください。

記念館友の会　ご案内

友の会は司馬作品を愛し、記念館を支えてくださる会員の皆さんとのコミュニケーションの場です。会員になると、会誌「遼」（年４回発行）をお届けします。また、講演会、交流会、ツアーなど、館の行事に会員価格で参加できるなどの特典があります。

年会費　一般会員3000円　サポート会員１万円　企業サポート会員５万円
お申し込み、お問い合わせは友の会事務局まで
TEL 06-6726-3859　FAX 06-6726-3856

PHP文芸文庫

人間というもの

司馬遼太郎 著

人の世とは何か。人間とは、日本人とは——国民作家・司馬遼太郎が遺した珠玉の言葉の数々。心を打つ箴言と出会えるファン垂涎の一冊。

PHP文芸文庫

戦国の忍び

司馬遼太郎・傑作短篇選

司馬遼太郎 著

戦国大名がしのぎを削る乱世の裏側で、忍びの者たちは過酷な闘いを繰り広げていた。国民作家・司馬遼太郎が描く忍者短篇小説の傑作選！

PHP文芸文庫

信長と秀吉と家康

池波正太郎 著／縄田一男 解説

天下取り三代の歴史を等身大の視点で活写するとともに、人間とその人間の営みが作り出してきた歴史の意味を見事に語る名篇。池波作品・幻の長篇、待望の文庫化。

PHP文芸文庫

霧に消えた影

池波正太郎傑作歴史短編集

池波正太郎 著／八尋舜右 解説

関ヶ原の間諜・蜂谷与助、妻を売る寵臣・牧野成貞、他8編。自らの歴史観・人間観をまじえ、歴史に「影」だけを残して消えていった人物を描く。珠玉の歴史エッセイ。

PHP文芸文庫

さむらいの巣

池波正太郎 著／八尋舜右 解説

故・池波正太郎の文庫初収録作品を集めたオリジナル版。味のある短・中編小説、歴史紀行とエッセイ、およびインタビューで構成。池波ファン、歴史ファン垂涎の一冊。